2000

D1083919

l'invitation

UNE ÉDITION DU CLUB QUÉBEC LOISIRS INC.
© Avec l'autorisation des Éditions J.C.L.
© 1994, Joan Haggerty
© 1999, Éditions J.C.L. Pour l'éd. Française
Dépôt légal — Bibliothèque nationale du Québec, 1999
ISBN 2-89430-405-6
(publié précédemment sous ISBN 2-89431-180-X)

Imprimé au Canada

JOAN HAGGERTY

l'invitation

Traduit de l'anglais par
Alain Gagnon

Première partie

À Thomas!

1

Ce jour-là, j'ai reçu une invitation à me rendre en France. On allait fêter l'accession à la majorité de mon fils Sean. Je ne l'avais pas vu depuis l'âge de six semaines. Sean est le deuxième de mes trois enfants. Il est né exactement treize mois après Sophie, mon aînée. Il avait à peine dix jours lorsqu'il est parti vivre chez les Richter à Paris. Je séjournais alors en Angleterre, à Londres plus précisément, où j'enseignais la peinture et le dessin comme contractuelle dans les écoles.

En fait, c'est à Sophie qu'on avait envoyé l'invitation. Je revenais d'une excursion d'esquisses sur le terrain quand j'ai trouvé l'enveloppe aux couleurs du courrier aérien sur le tapis du seuil, juste sous la fente à travers laquelle le postillon laissait tomber nos lettres, factures et circulaires.

À l'époque, nous habitions Vancouver. Sur une colline surplombant l'hôtel de ville. Nous vivions dans un duplex confortable, qui avait néanmoins un besoin urgent de peinture fraîche: dans ses nombreux coins et recoins, la moisissure était à l'œuvre. Dans le quartier, notre maison ne pouvait passer inaperçue, puisqu'elle était perchée, en surplomb par rapport à de banals bungalows recouverts de stuc. Pour certains elle ressemblait à un navire sur le point de s'abîmer dans le Pacifique. Le long de la façade, l'escalier de sauvetage conduisait à un nid de pie qu'adoraient les jeunes du voisinage. De là-haut, la vue portait au-delà de la baie, jusqu'aux montagnes bleutées de la rive nord et jusqu'à ces îles plus lointaines sur l'océan.

Sophie recevait fréquemment des lettres des Richter. Elle leur avait d'ailleurs rendu visite à deux reprises: une première fois, à l'âge de treize ans, en compagnie d'amis de la famille; une deuxième fois, lorsqu'elle avait eu dix-sept ans. Depuis, elle était toujours demeurée en rapport avec son frère.

J'ai rangé l'enveloppe dans mon sac à main. Je la remettrais à sa destinataire en revenant du cottage familial où je devais me rendre ce même soir pour travailler à une fresque. Luke, mon fils de treize ans, allait m'accompagner, même s'il n'avait aucun compagnon de jeu sur Bowen Island. Les jeunes qu'il connaissait vivaient un peu plus loin sur la côte, là où nous avions habité auparavant. Il m'accompagnait tout de même parfois à Bowen, lorsque ses amis de Vancouver s'absentaient ou qu'il avait simplement envie de se reposer. Sa passion, c'étaient les bandes dessinées. Mais, à l'occasion, il redevenait un bambin et descendait sur la plage pour retourner des pierres et observer les crabes. Luke était au courant de l'existence de Sean. Il y avait les lettres, des photos... Mais il ne semblait pas attacher grande importance à tout ça.

Nous nous couchâmes tôt. J'avais sorti la lettre de mon sac et l'avais posée sur la table de nuit qui jouxtait le lit de ma mère, où j'avais l'habitude de dormir. Pendant la nuit, je me suis éveillée et j'ai étendu la main pour m'assurer que l'enveloppe était toujours là. Depuis quelques semaines, un cerf avait pris l'habitude de fouailler dans le potager et il m'avait éveillée. Je l'entendais mastiquer. Je me suis penchée par la fenêtre. Baignée par le clair de lune, une biche dévorait nos hortensias, le museau dans les fleurs bleues qu'elle dégustait avec avidité. Un claquement des mains et elle a détalé sur-le-champ, avec vigueur – encore plus pressée de fuir que le mâle de la veille.

À l'aube, la marée montait. Il y avait deux courants distincts: un flux argenté s'enfonçait dans le canal et une traînée verte s'étirait jusqu'aux rochers que surplombait notre résidence secondaire. De la fenêtre de ma cuisine, à travers les arbres de la pointe, une myriade de lumières multicolores annonçait le Langdale. La luminosité scintillante du traversier se fraierait bientôt un chemin derrière les masses sombres des îles Keats et Gambler.

Sous les goélands qui criaillaient et dessinaient de longues arabesques contre les arbres de la rive, un remorqueur avançait péniblement. Le remorqueur était encore trop éloigné; je ne pouvais apercevoir le câble qui le reliait à une barge remplie de bran de scie, si bien que la barge paraissait se mouvoir d'elle-même lorsqu'elle surgit de derrière l'escarpement qui bordait la plage.

Luke entra dans notre vieille cuisine jaune aux murs cannelés. Il venait tout juste de s'éveiller. Ses membres robustes étaient encore lourds de sommeil et une mèche de cheveux sombre oscillait devant ses yeux. Sur la cuisinière, du lait pour le café et le cacao chauffait.

Je versai son cacao dans une chope en porcelaine de Chine qui traînait dans la cuisine depuis le commencement du monde. De sa cuillère, il retirait la pellicule à la surface du liquide fumant.

«Sophie détesterait ce geste», pensai-je.

— C'est pour moi? demanda-t-il en montrant sur la table un pamplemousse coupé en deux.

— Certainement, répondis-je. Tu veux un couteau?

— Peut-être vais-je seulement le presser.

Il s'assit et porta toute son attention à déguster son gruau. Ses mèches de cheveux oscillaient toujours devant son visage.

Je consacrai une bonne partie de l'avant-midi à la peinture, puis je rangeai mon équipement.

— Il va falloir revenir en ville. Je dois remettre cette lettre à Sophie.

— Et moi, j'ai un match.

Soccer ou base-ball? Cette fois c'était une partie de base-ball: il avait ramassé un gant sur la chaise derrière lui, l'avait passé à sa main gauche et s'était mis à y lancer une balle de l'autre main.

Dans la cour, croissaient des pins Douglas. Deux d'entre eux montaient la garde, géants au garde-à-vous, de chaque côté de la route qui menait à notre étroite langue de terre. Cette route était recourbée comme un pouce et elle menait à cette anse, où, tel un index, le quai du traversier pointait vers le large. De chaque côté de la voie carrossable, se trouvaient des accores où s'entremêlaient les cèdres et les pins. C'étaient de très vieux arbres et, depuis longtemps, leurs branches basses étaient tombées. On pouvait apercevoir une section importante de tronc dénudé avant les branches maîtresses.

Nous nous tenions sur le pont du traversier où les vents nous souffletaient. Un remorqueur passa. La barge qu'il touait contenait des billots cette fois. Les goélands plongeaient dans notre direction et obliquaient à un mètre ou deux de nos visages. On pouvait presque voir le ciel à travers leurs ailes vibrantes.

J'ai conduit Luke à sa partie de base-ball et je l'ai observé un temps. Sa détermination me fascinait. Puis je me suis rendue dans le Quartier chinois, à la maison où Sophie et Gresco, son ami, venaient d'emménager. La maison donnait plus l'impression d'un poste avancé édifié en une nuit sur un lot vacant que d'une véritable maison. Le recouvrement extérieur avait de l'âge et on l'avait repeint en brun taupe, tout comme les volets. Gresco et Sophie avaient camouflé tant bien que mal les fentes dans les murs extérieurs en y clouant des morceaux de contreplaqué et en y suspendant des objets hétéroclites: une paire de raquettes sous une fenêtre arrière défoncée, et des poêlons et récipients rattachés à une corde cachaient le bois pourri de la porte avant et jouaient le rôle de heurtoirs. Gresco avait reculé l'arrière de sa fourgonnette jusqu'au porche et bloqué l'accès à leur chez-soi. Je dus donc étirer le bras et cogner une des poêles à frire contre le bois éraflé de la porte pour annoncer mon arrivée.

Sophie surgit aussitôt. Elle semblait craindre que la porte ne s'affaisse. Elle repoussa ses mèches blondes de ses yeux. Les ongles de ses mains luisaient comme des perles, impeccables. Mais ses pieds étaient dans un état indescriptible. Elle avait les robes en aversion. Quand nous nous rendions à notre résidence secondaire pour un week-end et que nous devions recevoir des gens à dîner, je lui suggérais fortement d'apporter une robe, et elle obtempérait – mais à contrecœur... Ce jour-là, elle portait un vieil imperméable, à l'intérieur... Je lui en fis la remarque et elle m'expliqua qu'elle avait dû trouver un truc pour protéger son intimité – tellement de visiteurs affluaient... Revêtue de cet imperméable, si les visiteurs étaient des intrus, elle pouvait toujours leur dire qu'elle s'apprêtait justement à sortir...

Elle se tenait devant moi dans le soleil, louchant vers l'enveloppe que je tenais à la main, et, dans mon for intérieur, je me demandais, comme je me le suis souvent demandé, quel effet cela pouvait faire de connaître un frère que sa mère – qu'ils partageaient, elle et lui – n'avait jamais plus revu...

— Qu'est-ce qui lui prend? fit Sophie, après qu'elle m'eut invitée à entrer. Il sait que je ne vis plus à la maison. Et je lui ai donné ma nouvelle adresse. Pourquoi l'a-t-il envoyée chez vous?

Puis elle me regarda comme si j'avais dû connaître

13

la réponse. Elle pressa la lettre contre sa poitrine et se dirigea vers la cuisine où je la suivis.

On avait repeint le linoléum en noir charbon. On l'avait repeint par-dessus la poussière, sans le nettoyer.

J'ai émis l'opinion qu'un linoléum neuf améliorerait de beaucoup le coup d'œil. «Pas question, dit-elle. Ça serait de l'argent gaspillé.» Gresco et les membres de son groupe musical devaient transporter leur lourd équipement sono et ils l'abîmeraient, de toute façon.

On avait peint le verre des fenêtres; aucune lumière ne provenait de l'extérieur. Sur le plancher et sur les meubles, de vieux journaux traînaient entre une multitude de cendriers dont les mégots débordaient. Sur le plan de travail en stratifié, le mélangeur était vide, mais il tressautait, comme victime d'un court-circuit. Sophie parut secouer la laisse d'un animal, puis, distraitement, retira la prise avant de s'asseoir, jambes croisées, sur une des chaises de chrome et de plastique. De sa longue main élégante, elle ouvrit l'enveloppe avec un couteau maculé de beurre.

Je voulus m'installer dans un fauteuil, à peine visible dans la pénombre.

— Attention! maman. Tu vas t'asseoir sur le bidule de Gresco!

— C'est quoi, ce truc?

— C'est pour le compteur. Le compteur pour l'électricité. Avec son invention, Gresco peut le faire reculer à tous les trois jours.

— Sophie, franchement!

— Ça va, ça va, maman. Pas de leçon d'honnêteté, tu veux? Où est Luke?

— Il joue au base-ball.

Je réussis à prendre place sur un siège après avoir délogé la panthère de céramique qui le gardait jalousement. On avait dénudé tout ce que, d'habitude, dans une maison, on s'efforce de camoufler: l'isolation, la tuyauterie, la brique... Au-dessus de nos têtes, un canot flottait près de l'avant-toit, entre des gerbes de tanaisie.

— Ils vont fêter Sean, dit Sophie en lisant. Il t'envoie tout son amour. Gros baisers à Kathleen.

— T'es certaine?

— Regarde par toi-même...

Une fresque médiévale ornait le papier à lettres chamois: au recto, chevaliers, fantassins, porte-étendard formaient une théorie vagabonde sous des guirlandes de laurier jusqu'au bas de la feuille; au verso, des branches de chêne entrelacées formaient des mots en caractères gothiques.

Sophie se mit à traduire: «Héros et héroïnes de nos rêves, bienvenue à vous! Descendez de l'Olympe, sortez des forêts profondes, quittez vos huttes, revêtez vos habits de fête... Accourez tous en nombre, magiciens, magiciennes, enchanteurs, enchanteresses. Faites-nous l'honneur d'être nos hôtes en cette soirée où nous célébrerons l'accès à la majorité du jeune prince Sean Thomas. Apportez philtres, poudres, talismans et réponses bienveillantes aux souhaits que vous seuls pouvez exaucer. Goûtez en notre compagnie l'air qu'embaument toutes les fleurs et célébrons ensemble le solstice de juin...»

Elle se mit à rire.

— Ça va être fou, fou, fou, maman. Super-fou! Une bande d'hurluberlus qui vont déambuler dans toute la maison... Tu devrais y aller.

— Moi? Mais, c'est impossible!

— Pourquoi pas? Luke part camper, de toute façon. Et tes dépenses seront déductibles d'impôt...

— Ne sois pas ridicule, Sophie.

— O.K. Ce n'était qu'une suggestion. Pas besoin de monter sur tes grands chevaux. Je sors acheter du lait.

Elle agita la main et lança l'invitation en l'air, comme le mouchoir d'un prestidigitateur. La feuille virevolta et retomba sur la table, pendant que je la suivais du coin de l'œil. Sophie monta à l'étage chercher de la monnaie.

— C'est quoi au verso? demandai-je.

— Je ne sais pas, cria-t-elle de sa chambre. Des suggestions pour des costumes, peut-être...

Je me mis à lire à haute voix:

«*Aladin, Blanche-Neige, Cendrillon, Didon, Éros, Finette, Gargantua, Hercule, Icare, Jason, King Kong, l'Oiseau bleu, Mélusine, Narcisse, Orphée. Cet abécédaire n'est qu'un aide-mémoire; souvenez-vous, ils sont mille et mille, ces personnages fabuleux des contes et des légendes qui nous ont tant charmés, effrayés, émerveillés... Choisissez celui que vous aimez le mieux et prenez-en l'apparence.*»*

— Ton accent n'est pas si mal, commenta Sophie.

— Au contraire, il est terrible. Qu'est-ce que ça veut dire *effrayer*?

— Faire peur.

Je sursautai. Je versais de l'eau dans la bouilloire et ma main tremblait.

— Sophie, es-tu certaine d'aimer cette demeure? Pourquoi, Gresco et toi, vous ne vous installeriez pas dans cette chambre libre à l'étage, à la maison?

Elle me jeta un regard sans équivoque du haut de l'escalier. Une trappe pouvait en refermer la cage, qui se trouvait juste au-dessus de la cuisine. Sous les marches, on avait placé des sacs de plastique vert pour protéger le comptoir de la poussière des chaussures.

Dans la boîte à pain, on retrouvait des muffins rassis. Du beurre, sur la tablette intérieure de la porte du réfrigérateur. Et, un peu partout, des livres: *Le Petit Poucet, Quasimodo, Robin des bois, La petite sirène, Tristan, Ulysse... Le Petit Poucet.*

---

* *L'italique sera utilisé pour tous les mots ou passages qui, dans la version anglaise, sont en français.*

J'ai trouvé aussi son dictionnaire français, tout à côté d'un Colette en format de poche. Ce même Colette qu'elle avait l'habitude de lire et relire, étendue en position fœtale sur son lit, aux jours anciens... En ces jours de pré-adolescence où elle dessinait et redessinait sans cesse des arcs-en-ciel dans les marges de ses livres d'exercices scolaires. (Comment appelle-t-on cette période de la vie? Période de latence?) Il y avait aussi des chats. Beaucoup de chats. *Poucet! Tom. Blanche.* White. *Neige.* Snow.

Sophie et Luke. Deux enfants. Mais, toujours présent, le fantôme de Sean les suivait lorsqu'il se promenait par les sentes de la forêt.

Je croyais pouvoir deviner sa silhouette, mais le reste de son corps demeurait transparent, sculpté dans la glace. Une fois, après avoir hésité, je lui ai envoyé une carte représentant un iceberg arctique – les verts et les turquoises s'adoucissaient aux contours. Geste symbolique, façon discrète de rappeler mon existence. Je tenais à faire comme si... Faire comme s'il y avait de la place pour moi dans les coulisses de son existence, dans sa vie de tous les jours. Cette place n'existait pas, n'avait jamais existé, n'existerait jamais... Parfois, je me sentais dans la position de quelqu'un qui ferait un mauvais rêve. J'essayais de hurler et de murmurer en même temps, et les autres me suppliaient de parler plus fort, alors que, déjà, je criais à tue-tête.

***

Il y a exactement dix-huit ans – je m'en souviens: Sophie ne marchait pas encore – je m'étais rendue en Espagne à l'avance pour louer une maison pour nos vacances d'été. Le propriétaire possédait des porcs qui couinaient tout au long des nuits chaudes. Au matin, il les nourrissait de restes de nourriture qu'il allait chercher au restaurant de l'endroit. Je demeurais éveillée des nuits entières, au lit, à regarder le plafond, la main sur mon ventre où remuait une vie nouvelle, Sean. Près de moi, dans la chambre blanche, Sophie dormait dans son berceau.

Quand j'avais loué cette maison, j'avais confié aux propriétaires que mon mari, Andrew, nous rejoindrait bientôt. Mais ils me regardaient, incrédules, convaincus qu'il ne viendrait jamais.

Chaque jour je me rendais au Fonda, un petit bar, pour m'enquérir si une lettre d'Andrew n'était pas arrivée, une lettre qui m'annoncerait sa venue. Chaque jour aussi, je déposais Sophie dans sa poussette et, par un sentier cahoteux, nous nous rendions jusqu'à la plage. Pendant cette marche difficile, Sean se retournait et cognait contre les parois de mon ventre.

Nous nous retrouvions sans protection, démunis, loin de chez nous. Deux ans plus tôt, nous étions venus en Europe à la recherche d'une nouvelle patrie. Nous ne voyagions pas avec un sac à dos – ce n'était pas encore la mode – mais nous étions en quête d'une véritable expérience culturelle. Nous avions tellement lu sur l'Europe, et tous nos professeurs dans le vent nous exhortaient à y aller pour puiser aux sources mêmes de la culture. Ils nous disaient tout ça dans un langage si quotidien, si terre-à-terre, qu'ils en étaient convaincants. J'avais rencontré Andrew au Players' Club de l'Université de Colombie-Britannique. Les vêtements noirs étaient à la mode. Tout comme la déprime chronique. Avoir l'air optimiste était considéré comme terriblement dépassé. Andrew s'était installé à la première table, près de l'entrée de cette cafétéria située sous l'ancien auditorium. Il avait l'air qu'il fallait avoir: mélancolique et préoccupé. Nous avons discuté de Sartre, de Beckett, de Genet et d'existentialisme. La plage, plus précisément de Wreck Beach, bordait la péninsule universitaire. Aujourd'hui les gens s'y baignent nus. Nous n'osions pas le faire à l'époque.

Nous avons voyagé sur le pouce à travers tout le Canada, nous sommes montés sur un cargo à destination de Liverpool, nous nous sommes mariés à Londres et, pendant toute une saison, nous n'avons pas fait autre chose que d'aller au théâtre. Pour deux shillings et six pences, nous nous installions dans le poulailler. Nous avons tout vu de ce que la saison pouvait offrir: John Gielgud en Hamlet, Peter O'Toole en Hamlet... Puis Andrew s'est trouvé un emploi dans le nord du pays, pour une compagnie versée dans le théâtre de répertoire. Les acteurs jouaient une pièce dans la soirée et répétaient l'après-midi la pièce de la semaine suivante. Quant à moi, je suis demeurée à Londres quelques semaines de plus: un contrat d'enseignement à terminer. Puis je l'ai rejoint, pour sombrer dans un grand malheur. L'impensable était arrivé: il s'était entiché d'une autre femme, une actrice. Je suis arrivée, rayonnante, m'a-t-il complimentée, dans la cape neuve que je venais de me confectionner. L'actrice était assise au milieu de son lit et portait un de ses t-shirts. Ce soir-là, dans ce même lit à tête sculptée, il m'expliqua qu'il ne s'était jamais réellement considéré marié, qu'il vivait plutôt l'expérience un mois à la fois... Je suis tombée enceinte de Sophie peu après et il m'a laissée pour aller vivre avec sa nouvelle flamme, Alison.

De retour chez mes parents à Vancouver, j'attendais la naissance de notre fille et Andrew me manquait. Malgré tout, je voulais qu'il connaisse Sophie, et je tenais à ce que Sophie connaisse son père. Alors que nous étions à l'université, je lui avais écrit ce billet qui exprimait des sentiments que j'éprouvais encore: «Je souhaite être collée à toi comme la jupe d'une fille qui travaille dans les marais salants colle à son corps. Je pense à toi.» J'avais lu ce poème quelque part.

Après la naissance de Sophie, je reçus une lettre: étais-je intéressée à un autre essai? Il voulait que nous passions l'hiver à Ibiza. Avec Alison, tout était terminé. Tous, sans exception, parents et amis, me déconseillaient de repartir vivre avec lui. Mais j'étais convaincue qu'il changerait. Il ne pouvait supporter de se sentir prisonnier d'une passion trop exclusive, c'était tout. Et puis Sophie avait besoin d'un père. À l'époque je ne pris pas conscience qu'en agissant à l'encontre de l'opinion de tous mes proches, je brûlais mes navires, restreignais ma marge de manœuvre pour l'avenir. En cas de nouvelles difficultés, tout retour vers Vancouver serait difficile, voire impossible...

Andrew, Sophie et moi ne passâmes que quelques mois en Espagne. Jusqu'à l'arrivée d'une lettre. On lui offrait un rôle dans une pièce. Mais il aimait beaucoup Sophie, m'assurait-il. Et ce serait bon pour elle de séjourner encore un peu dans un pays où le soleil abonde. Il allait nous faire signe, il allait se mettre à la recherche d'un logis à Londres...

Nous habitions un appartement près de la mer, au parquet carrelé de tuiles rouges. Je m'étais remise à peindre. Chaque matin je faisais des croquis. Sophie, installée sur trois oreillers à mes côtés, regardait la mer par la fenêtre ouverte. Je me sentais terriblement seule. Pour Andrew, dormir avec n'importe qui ne posait pas problème. Moi, ça me rendait malade de l'imaginer avec une autre. Ou de m'imaginer, moi, avec un autre homme. Je me suis mise à penser que si j'avais moi-même un amant, ça me rendrait peut-être plus intéressante aux yeux d'Andrew. C'était un peu comme se retrouver dans un monde sans valeurs, où un ventre de femme n'était rien d'autre qu'un endroit où un amant puisse introduire sa main ou son sexe. Et la femme devait se pencher, disposer l'ouverture de son corps selon les caprices de cet amant, de façon à se rendre le plus désirable possible. Je n'ai vraiment envisagé cette possibilité que comme une stratégie virtuelle; j'étais encore trop attachée à Andrew pour passer aux actes – et, chaque jour, la figure de Sophie me rappelait celle de mon époux; et sa peau, la sienne.

Un jour, je me suis rendue à l'inauguration d'une galerie à l'arrière du café de la place, et je me suis rendu compte, soudain, que le paysagiste travaillant sur les pierres en face de l'édifice m'intéressait davantage que les toiles destinées aux touristes. Je m'assis à l'ombre et l'observai, mon appareil photo à la main. Il paraissait absorbé par ce travail pourtant bien ordinaire à première vue. Il lui suffisait de disposer des pierres autour de cactus et de bougainvilliers. Il semblait satisfait. Ce qu'il avait fait était assez simple, mais ingénieux: il avait séparé les pierres les plus petites, des cailloux en fait, des plus grosses; et il avait placé ces dernières le long d'une pente douce où on retrouvait une végétation assez abondante. Puis il avait roulé les plus volumineuses sur une surface plane, au pied de la pente, où il les avait disposées selon leur taille, comme s'il les avait toutes passées à travers un tamis géant.

L'homme avait des cheveux de jais, peignés vers l'arrière. Ses yeux reflétaient la bonté. J'aimais sa façon détendue de se comporter. Il paraissait à la fois nonchalant et très concentré sur son travail. Son front était haut et droit. Un peu comme celui des Tsimshiens, une tribu amérindienne de la Colombie-Britannique. Certainement pas un Espagnol. Je me demandais d'où il venait et comment il en était arrivé là.

Photographier des jardins était une de mes passions à l'époque. La lumière de ce jour torride contrastait avec l'ombre aiguë du toit de l'édifice et le profil de son nez aquilin. Parfait pour une photo en noir et blanc. Il leva la tête juste comme je déclenchais l'obturateur. Il n'était pas très grand. Il me jeta un coup d'œil furtif, puis il revint à ses crocus à fleurs blanches et sans feuilles qu'il était en train de planter. Il m'attirait surtout par cette confiance en lui qu'il dégageait. J'aurais presque voulu m'immiscer en lui pour voir comment il s'y prenait pour dégager tant de force tranquille. Il avait su exactement quand se détourner, alors que je le lorgnais avec mon appareil, pour conserver sa dignité. Je rangeai mon appareil dans le panier d'osier où je trimballais Sophie et je me risquai à lui adresser la parole en anglais.

— J'espère que je ne vous importune pas. J'aime beaucoup ce que vous faites.

Il s'approcha de mon banc pour voir de quoi avait l'air son travail de cet endroit.

— Ouais. Vraiment, ce n'est pas trop mal, opina-t-il.

La galerie était située sur un à-pic qui surplombait l'océan. L'après-midi s'annonçait torride, sans vent. Plus le soleil montait, plus les ombres se résorbaient autour des pierres du jardin.

Il me sourit.

— C'est un bébé que vous avez dans ce panier?

Selon son habitude, Sophie arborait son large sourire, montrant son plaisir à se sentir vivante.

— C'est à vous, la galerie? lui demandai-je.

— Non, non. Je ne suis que le jardinier.

Et il m'indiqua sa fourgonnette, pleine à ras bord d'outils de jardinage, d'équipement de camping... Dans ce fouillis, j'aperçus même une planche à dessin. Sur les côtés, on pouvait lire: Bryce Wilson, architecte-paysager.

Il était originaire de Los Angeles. Il passait ses hivers à Baja. Il y vivait dans une autre fourgonnette. Pour se nourrir, il mangeait du poisson cuit enroulé dans des feuilles de maïs. Il me dit que les coloris des poissons dans la mer, à Baja, étaient vraiment uniques. Il me parla d'un poisson qui était bleu lorsqu'il l'avait attrapé, qui était tourné au noir aussitôt sorti de l'eau et au vert quelques minutes plus tard. Nous discutâmes de la lumière et de l'art des jardins, puis de tout et de rien... Peu à peu, l'après-midi se transforma en soir qu'il voulait passer, m'avoua-t-il, sur les collines qui entouraient la ville de son côté opposé à la mer. Il voulait y admirer les magnifiques lueurs vertes qui apparaissent au crépuscule.

— Lumières vertes? demandai-je, étonnée.

— Ouais. Ça se produit juste au moment où le soleil disparaît derrière l'horizon. Un bref instant. Faut de la patience et de la vigilance. Mais le phénomène se re-produit soir après soir. Mon oncle a été le premier à me montrer ces lueurs étranges quand j'étais gosse.

Sophie et moi le suivîmes dans les collines. Nous attendîmes en sa compagnie. Je ne vis rien, mais il me jura avoir aperçu la lumière verte.

Je me sentais bien avec lui. Mais je passai à une étape plus intime dans nos rapports de façon beaucoup plus rapide que je m'en serais crue capable – même si je n'avais pas été mariée. L'incertitude dans laquelle m'avait plongée Andrew m'incitait à répondre favora-blement au désir de Bryce. Il me faisait vibrer à nou-veau. Parce qu'il me désirait, je me sentais de nouveau vivante. *Blanche-Neige* ici, pas *La Belle et la Bête*.

Je ne passai qu'une nuit en sa compagnie. Nos vies ne s'étaient rencontrées que pour déterminer, en quel-que sorte, l'avenir de Sean. (Bien sûr, tous nous l'igno-rions alors.) Il avait terminé son travail à la galerie et il quitterait le lendemain. Niki allait surnommer cet homme Pied Noir...

Je repartis pour Londres.

Andrew nous attendait à la gare Waterloo. Nous sautâmes immédiatement dans un train pour Sheffield et passâmes le week-end avec sa mère. À bord du train, il faisait froid et humide. Je me sentais coupable. Je décidai alors de tout lui avouer, pensant que l'aveu me libérerait de ma faute, nous permettrait de tout recommencer. Je m'étais trompée. Si j'avais gardé ce secret, j'aurais conservé au fond de moi-même la certitude que j'avais la capacité de créer une relation avec quelqu'un d'autre... Mais j'ai tout avoué et, aussitôt que les mots eurent franchi mes lèvres, je sentis que je m'étais nié, à moi-même, le droit à ma propre identité, à ma propre liberté, au respect de soi... Pendant que je lui avouais cette infidélité, Andrew regardait par la fenêtre du wagon, ses lèvres remuaient lentement.

— Je me sentais... laide d'avoir été enceinte, dis-je. J'avais besoin de quelqu'un pour me prouver que je ne l'étais pas. En fait, c'était *toi* qui aurais dû... il me semble.

— Je ne te dois rien, répondit-il en riant.

Nous avons descendu la poussette du train et nous avons passé quelques semaines chez sa mère. Nous nous promenions dans les champs à la sortie de Sheffield. Le dimanche, nous mangions de l'agneau avec de la sauce aux pommes. À la fin du mois, nous étions de retour à Londres dans notre appartement de Bennington Gardens. Je peignais et décorais notre logis. Mes seins devenaient endoloris. J'avais des nausées. Je me suis rendue à une clinique pour un test de grossesse, mais le résultat fut négatif. Deux semaines plus tard, j'y suis retournée. Cette fois le test fut positif. Une infirmière m'expliqua que le premier avait été passé trop tôt.

— Personne ne m'a jamais mise au courant de cette possibilité, dis-je, au bord des larmes, à l'infirmière.

— On a dû oublier de vous prévenir, répliqua l'infirmière.

— Qu'un oubli! Un simple oubli, sans importance!

— Ce sont des choses qui arrivent...

Lorsque je m'ouvris de la chose à Andrew, j'étais

exsangue; assise au bout de la table de cuisine, et je comptais les semaines sur un calendrier. Andrew arrivait d'un cocktail de production. J'attendis qu'il s'assoie, un verre à la main.

— Andrew, lui dis-je, je suis enceinte. Ils ont dit que le premier test avait été administré trop tôt.
— Bien non, tu n'es pas enceinte, reprit-il.
— Pardon? Je sais ce que je dis. Je ne pensais vraiment pas l'être. Mes règles n'étaient pas terminées quand j'ai eu cette relation sexuelle. Mais les probabilités d'erreur sont à peu près nulles... Je suis enceinte!
— Les probabilités, les probabilités... T'en fais pas, tout va s'arranger...

Mais rien n'allait s'arranger. Et je le comprenais plus que jamais huit mois plus tard, alors que je me retrouvais sous un soleil brûlant, sur une petite route sablonneuse à l'extérieur de Fonda. Cheveux emportés par un vent de sécheresse, je lisais et relisais cette lettre où Andrew m'annonçait qu'il ne viendrait pas en Espagne. Dans mon sein, Sean s'agitait. Il éprouvait la même crainte, le même sentiment d'insécurité que moi. Et c'est probablement toute cette angoisse qui déclencha, de façon prématurée, l'accouchement, le lendemain de la réception de cette lettre.

Des amis rencontrés à Mitjorn Beach prirent des arrangements pour que je me rende de Formentera à Ibiza. Je laissai Sophie sous leur garde. Deux habitants de Formentera, qui possédaient un bateau, m'y transportèrent. La vague était forte sur le canal. Pendant toute la traversée, qui dura deux bonnes heures, de la couchette où je m'étais étendue, je tentais de les rassurer: les contractions n'étaient pas encore trop fortes, j'avais ressenti les mêmes lors de la naissance de mon premier enfant – et le bébé n'était pas arrivé hâtivement...

La banquette arrière du taxi dans lequel je montai à Ibiza m'apparut dépourvue de ressorts. Après dix minutes de randonnée pénible, nous nous arrêtâmes enfin devant une charmante villa qu'on avait convertie en clinique. Il y avait des treillis, des volets aux fenêtres, et l'ombre des platanes assurait une certaine fraîcheur. Aucun des membres du personnel ne portait de gants de caoutchouc. L'extrémité du spéculum vaginal qu'ils utilisaient était d'une taille qui aurait mieux convenu à une jument qu'à une femme. Ils m'examinèrent et me palpèrent dans tous les sens. Lorsqu'ils eurent terminé, ils installèrent une patiente dans le lit près du mien. Elle sortait de la salle d'accouchement. D'épaisses moustiquaires pendaient du plafond autour de nos lits. Mais on négligea de les tirer. Je pouvais voir tout ce qu'on faisait à ma voisine. Un docteur aux cheveux pommadés lui écarta les jambes, fit habilement ressortir ses lèvres vaginales de son index et de son majeur – un peu comme s'il avait farci une dinde. Il s'apprêtait à faire les premiers points de suture, lorsqu'il s'arrêta, aiguille figée au-dessus du pubis, pour demander à l'infirmière si le travail postnatal était terminé. Mais il commença à coudre sans attendre la réponse. La femme se mit à geindre; et, de ses mains, elle essayait de l'empêcher de continuer.

— Vous me faites mal! Vous me faites mal!

De plus en plus irrité, le docteur, étrangement, abandonna la partie. Sèchement, il referma sa mallette et quitta la pièce.

La patiente se tourna vers moi. Elle semblait déçue que le médecin ait obtempéré à ses supplications. Un fil noir pendait sur une de ses jambes.

— Vous allez devoir le laisser finir son travail, murmurai-je en espagnol.

— Il est vraiment parti?

— J'en ai bien l'impression.

— Je veux mon bébé! Je veux mon bébé! se mit-elle à hurler.

La chaleur devenait étouffante. Des particules de poussière brillaient dans les rayons du soleil. Le docteur avait laissé derrière lui l'odeur de sa pommade et de son eau de toilette citronnée. Ç'aurait pu être la salle de récupération de n'importe quel hôpital, dans n'importe quel pays, où les mères, en principe, doivent se reposer pendant qu'on prend les empreintes du nouveau-né, qu'on l'examine ou qu'on lui fait toutes sortes de choses... Tout ça en dehors de la présence de la mère dont l'instinct maternel, à ce moment, est à un point culminant et exige de créer ces liens infrangibles entre la chair qui a reçu la vie et celle qui l'a donnée...

J'étendis le bras pour prendre sa main.

— Ils vont l'amener d'une minute à l'autre. Est-ce que c'est un garçon?

De la tête, elle dit oui.

Ils le lui amenèrent, tout emmailloté. Et elle oublia ma présence.

Mes contractions avaient cessé. J'envoyai un message par taxi à l'un des propriétaires du bateau. Il devait le remettre à mes amis de Formentera. Par ce billet, je leur demandais de ramasser nos affaires à l'appartement, de me les apporter et d'emmener Sophie.

À la fin de ce même après-midi, je me suis levée, et j'ai retiré la jaquette d'hôpital pour passer ma robe bain de soleil à rayures jaunes et vertes de coton. Au moins j'étais bronzée. J'allais fuir vers Londres. J'aurais peut-être certaines difficultés à obtenir une place dans l'avion dans mon état, mais je me devais d'essayer. Le bébé devait naître dans l'environnement sécuritaire d'un hôpital britannique. J'avais fini par me faire une raison:

Andrew ne changerait jamais. Tout ce que j'avais fait depuis ma rencontre avec lui était de rêver à ce qu'il devrait être, à ce qu'il devrait faire pour moi... Il était temps que je regarde la réalité en face. Je devais me rendre à un endroit où le bébé naîtrait en toute sécurité. Peu avant la naissance de Sophie, j'avais eu à plusieurs reprises des contractions qui s'étaient révélées de fausses alarmes. Ce serait peut-être la même chose cette fois. Je m'arrêtai à la réception pour payer la facture, mis mes verres teintés et me retrouvai, quelques minutes plus tard, entre les tables d'un petit café où mes amis et Sophie m'attendaient. Ces amis, en fait des connaissances, étaient un couple aux manières raffinées d'Islington, qui menait une vie de bohème. Nous nous étions rencontrés parce que nos filles avaient le même âge.

— Je vous serai éternellement reconnaissante de ce que vous faites...

— N'y pensez plus, me dit la femme. L'important c'est que vous vous rendiez à un endroit sécuritaire.

Sophie grimpa sur mes genoux pendant que je buvais une eau minérale avant de partir pour l'aéroport.

À Palma, entre deux avions, les contractions reprirent. Mais je n'avais aucun autre choix; il me fallait monter à bord. Je pliai la poussette et la tendis à une hôtesse. Elle examina ma silhouette et fronça les sourcils. L'hôtesse revint avec un livre à colorier et des crayons pour Sophie. Son œil était toujours aussi interrogateur, peu rassuré.

— Baisse la tablette, Sophie. Parfait, parfait... Tu es une bonne fille.

La peau de mon ventre était tendue, véritable peau de tambour. Sean s'y débattait comme un marin qui fait naufrage. Au micro, on annonça l'atterrissage dans quelques minutes. Je ne pus attacher ma ceinture; elle était trop courte. J'essayai en vain de la passer au-dessus ou en dessous de mon ventre proéminent.

—Tu dois relever la tablette maintenant, dis-je à Sophie. Relève-la. Très bien... Respire, respire... Tu peux garder le livre à colorier. Nous allons le mettre dans ton sac...

— Infirmière!... Excusez-moi, hôtesse, je ne veux pas créer de panique, mais est-il possible de demander qu'une ambulance soit présente sur la piste à l'atterrissage?

— Une ambulance? Vous êtes malade?

— Pas encore...

— À quel intervalle, les contractions?

— Ce n'est pas l'intervalle qui compte; c'est leur durée... Mais qu'importe! Faites ce que je vous demande.

À l'aéroport de Heathrow, deux techniciens ambulanciers m'attendaient. Ils souriaient et m'encourageaient. Je leur dis que je voulais me rendre à l'hôpital St. Mary's, dans le quartier de Paddington. Mais, tout d'abord, je devais m'arrêter au 15, Bennington Gardens pour confier Sophie à mon époux.

Par la fenêtre de la pièce avant, je pouvais apercevoir la lueur de bougies fichées dans des bouteilles de vin. Il descendit et vint vers nous, renvoyant vers l'arrière ses cheveux noirs qui cachaient son front pâle.

«Avant tout, il ne faut pas effrayer Sophie. Sois gentille, ma fille. Nous avons besoin de lui ce soir», me répétais-je. Il prit Sophie dans ses bras et la souleva pour l'emmener, après m'avoir assuré qu'il viendrait me voir à l'hôpital le lendemain matin. Les ambulanciers refermèrent la porte arrière et me donnèrent une injection de morphine. Pendant que nous roulions, ils n'arrêtaient pas de me répéter que tout se passerait bien.

Le lendemain matin, je dis aux infirmières que ça pourrait durer encore un bon bout de temps. Je me sentais gaie et en sécurité. Je taquinais les membres du personnel et tentais de les persuader de m'apporter des

29

œufs. Ils allaient me servir des saucisses pour le petit déjeuner – bonne vieille Angleterre! – lorsque mon mari entra. Il referma doucement la porte, la retenant de la main, et s'approcha du lit. Il se tenait bien droit. Il était toujours mince et élégant avec son chandail à col roulé noir et ses souliers de sport. Il paraissait un peu timide, hésitant.

— Ils veulent que je me lève et que je marche. Ça va être un garçon, je pense. Un garçon plutôt réservé, comme toi... Pourquoi n'es-tu pas venu nous rejoindre en Espagne? J'avais trouvé un endroit magnifique...

J'essayai d'accrocher son regard en lui parlant. Mais ses yeux fuyaient les miens. Il fixait le plancher.

— Qui s'occupe de Sophie? demandai-je.

— Elle est à l'appartement.

— Qui s'en occupe?

— Niki.

— Qui est Niki?

— Une Hollandaise. Elle habite à l'appartement en compagnie d'autres personnes d'Amsterdam.

— Elle est gentille? Responsable?

— Évidemment qu'elle est responsable! Pourquoi ne le serait-elle pas?

— Pourquoi n'es-tu pas venu en Espagne?

Il fixa de nouveau le plancher.

— Ce n'est pas mon enfant, finit-il par dire.

Il faisait le mort. Son rôle favori dans la vie. J'aurais dû m'en douter.

— Andrew, nous avons déjà beaucoup discuté de tout ça. Mes règles n'étaient pas terminées. Sans ça, je n'aurais jamais couché avec lui.

— Tu n'aurais pas dû...

Je regardais partout dans la chambre. C'était à mon tour d'éviter son regard. Ils m'avaient rasée, et les poils raides et irritants de mon pubis grattaient le tissu de ma robe de nuit.

— Andrew, ce n'est vraiment pas le temps des re-proches. Je ne pourrais pas le supporter à ce moment-ci. Je comprends ce que tu ressens. Mais une autre fois.

— Tu dis toujours ça: une autre fois... Une autre fois...

— C'est malhonnête et tu le sais.

Je devais mettre fin à cette conversation.

— Sonne l'infirmière, s'il te plaît.

Quand l'infirmière est arrivée, il avait l'air en co-lère. Il croyait me tenir avec ses reproches et elle l'em-pêchait de profiter de son avantage. Dans ma robe de chambre en tissu éponge et sur mes pantoufles de carton, je me rendis à la toilette en m'appuyant sur la femme. Une fois assise, je ne voulais plus la laisser partir, m'agrippant à elle. Elle retira mes mains de force. Et je me mis à nettoyer les ongles d'une main avec l'index de l'autre. L'infirmière attendait. Lorsque nous sommes revenues, Andrew était toujours assis dans la même chaise. La fille me laissa debout, appuyée contre le pied du lit. Mon mari n'esquissa aucun mou-vement pour m'aider.

Alors que je me réinstallais sur le lit, il dit:

— Tu en as fait plus que moi.

— J'ai fait quoi?

— J'avais tout arrangé pour aller vous rejoindre, pour une nouvelle vie... Mais j'ai changé d'idée après ton départ.

— Tu as changé d'idée? Seulement parce que *toi* tu ne peux pas tomber enceinte?

— Même si je pouvais. Aimerais-tu ça avoir une autre femme à tes côtés, qui t'observe à longueur de journée?

— Ça ne se passera pas comme cela.

— Comment peux-tu le savoir?

— Je le sais, c'est tout.

Il ne plaisantait pas. La panique s'emparait de moi. Le cœur allait me sortir de la poitrine.

— Niki va s'occuper de Sophie. Je lui ai donné de l'argent et je lui en enverrai davantage.

— Tu t'en vas où?

— À Newcastle. J'ai du travail là-bas.

— Andrew, je t'en supplie, reste. Ne pars pas. Pas maintenant.

— Je pars demain.

— Tu pars demain?

Je me suis tournée face contre le mur. Si je n'étais pas arrivée hier, il aurait été parti. C'est ce qu'il me disait. Une personne nommée Niki m'aurait reçue à sa place.

— Ce n'est qu'un prétexte, ce travail. Tu serais parti de toute façon.

— Non, ce n'est pas un prétexte.

J'ai décidé alors de vérifier s'il bluffait.

— Si c'est ainsi Andrew, pars sur-le-champ. Je veux manger mon petit déjeuner en paix et j'en ai besoin, crois-moi.

À ma stupéfaction, c'est exactement ce qu'il a fait: il est parti.

Je m'étendis, je me recroquevillai, m'assis... Je cherchai une position confortable. Jusqu'à ce qu'ils me roulent sur une table d'accouchement. Tout se passa rapidement et très douloureusement. Sean arquait déjà son dos comme un gentleman. Il jaillit de mon utérus furibond – il avait hâte de vivre. Je n'eus que le temps de l'agripper par les aisselles, sans cela il aurait été projeté contre le mur, d'où il m'aurait observée, petit écureuil.

— Un bébé, ai-je annoncé à haute voix, comme si c'était une surprise.

Comment avait-il pu tenir dans mon ventre? Tous ses organes – pieds, mains, parties génitales, yeux grands ouverts... Je l'apercevais au-dessus de moi. Mais ce nouveau-né n'avait pas de père pour le prendre dans ses bras, et, moi, je n'avais pas de mari pour me réconforter et me féliciter, me dire que ce lutin avait mes yeux, sa bouche; lui glisser un doigt entre les gencives et le serrer contre lui... Entre Sean et moi, il n'y avait que du vide, beaucoup de vide. Je ne pouvais l'atteindre. Il me semblait derrière des milliers de voiles transparents, et plus je tentais d'écarter les voiles pour le rejoindre, plus je le perdais, plus je m'engluais.

On éloigna mon bébé, et les infirmières se mirent à plaisanter:

— Vous avez crié: un bébé! Vous ne pensiez tout de même pas que ce serait un éléphant!?

Évidemment, je n'avais jamais pensé une telle chose. Mais pour moi, cette chose – cet ensemble d'organes – que je portais dans mon ventre n'était devenu un bébé qu'au moment où il avait jailli de mes entrailles, où on l'avait déposé sur l'oreiller tout contre mon visage. Et, à la seconde même où j'ai tâté sa peau translucide, où j'ai aperçu une fine ligne bleue derrière ses paupières entrouvertes, où j'ai vu ces petites bulles de salive à la commissure de ses lèvres, j'ai su, sans l'ombre d'un doute, qu'il s'agissait là du fils d'Andrew. Je voulais le ramener sur-le-champ à la maison pour le protéger, comme si nous avions été les rescapés d'un naufrage.

Peu après, le médecin et les infirmières l'ont emmené, après avoir fermé les lumières. Ils retournaient vers leur foyer. Ils n'avaient alors aucune idée de la solitude que j'éprouvais.

Cette nuit-là, j'ai pleuré. Je m'inquiétais pour Sophie. Je me sentais abandonnée, découragée. Tous les espoirs, les projets que j'avais entretenus pour notre cellule familiale s'étaient envolés en fumée: Sean était à la pouponnière et Andrew – qui devait à cette heure être en route en direction nord ou Dieu sait où – ne le reconnaissait pas comme étant son fils; une inconnue

s'occupait de Sophie à l'appartement; et moi, j'étais étendue, impuissante et solitaire, dans ce lit d'hôpital. Je finis par m'endormir et je rêvai que je nageais dans la mer. Je m'efforçais de rejoindre mes enfants qui s'agrippaient à des rochers. Mais quand j'arrivais près d'eux, ce n'étaient pas mes enfants. Nous évoluions dans un univers unidimensionnel. Nous n'avions pas de bras, pas de voix... Lorsque je me suis éveillée, je me sentais aussi seule que si on m'avait jetée au fond du donjon le plus noir.

Le lendemain, quand les infirmières m'ont rapporté Sean, je me suis mise à pleurer de nouveau. Il avait déjà la figure étroite et distinguée d'un homme d'État miniature: nez fier, peau distendue sur les pommettes, front bombé. Je lui ai caressé la joue du doigt et j'ai tenté de le nourrir. Mais le lait n'était pas encore monté. Il ne sortit de mon sein qu'un liquide jaune, et le bout de mes mamelons était douloureux.

Quelques minutes plus tard, une préposée à l'admission a écarté le rideau. Elle s'est installée au pied du lit, un stylo et un cartable à la main. Le soleil m'aveuglait alors que je cherchais à voir son visage.

— Quelques formalités administratives... Ce nouveau-né a besoin d'un certificat de naissance. Quel nom de famille va-t-il porter? Le nom de son père?

— Il n'y a pas de père. Ce bébé n'a pas de père.

— Ne tombons pas dans le mélodrame, dit-elle sèchement.

— Je ne fais pas de mélodrame! Voyez-vous un père quelque part? Sous le lit, peut-être?

Une infirmière apporta le déjeuner – infect!

Par la fenêtre, je pouvais voir passer les autobus londoniens, enserrés entre les autos. À cette heure, à Vancouver, mon propre père devait être confortablement assis dans son fauteuil, fixant le mur sans sourciller.

— Excusez-moi, reprit la préposée. Il y a certainement un père, ne serait-ce qu'un père biologique.

Je haussai les épaules. Excédée, elle quitta la chambre.

Dans l'après-midi, Niki se montra le bout du nez. Je vis cette jeune femme, complètement inconnue de moi, entrer et se tenir debout au bout du lit. Elle me souriait. L'acné avait marqué son visage. Elle paraissait agitée. Un bandeau lui serrait le front et elle portait des anneaux aux oreilles. Comme beaucoup de Hollandaises, elle était polyglotte. À travers toute l'Europe, pendant ces années, tout le monde habitait chez tout le monde. On s'échangeait les appartements. On ne savait jamais si, en arrivant chez soi, on ne trouverait pas un étranger qui allait déclarer être l'ami d'un de nos amis... Ça semblait une atmosphère agréable, très conviviale... Mais en réalité, ce n'était pas le cas. Les gens avaient la gonorrhée. Les femmes, des infections vaginales. Tout le monde s'entassait dans des fourgonnettes Volkswagen et les gens se considéraient comme vos intimes, alors qu'ils ne connaissaient pas encore votre nom. Une sorte de brume universelle oblitérait toutes les différences. Tout le monde voyageait et la vie n'était qu'une perpétuelle représentation. Si nous avions pu observer de l'extérieur notre légèreté, au fond très conformiste, nous aurions eu honte. Mais, à l'époque, nous avions l'impression de partager collectivement un grand secret, celui de l'innocence retrouvée. On déambulait dans la rue, sourire aux lèvres – peu importe la ville – et on était certain de rencontrer des gens drogués, qui eux aussi flottaient plusieurs centimètres au-dessus du sol. On levait la main et on s'interpellait:

— Tu parles...

— Ouais, tu parles...

C'était une vie insensée, mais nous aimions vivre ainsi. Le problème était le prix à payer...

Niki s'était composé un personnage, de façon à se confondre le plus possible à ce décor. Elle portait un masque, un vernis qui réfléchissait la lumière et la rendait impénétrable au regard des autres. Ce camouflage, on l'aurait appelé à l'époque son aura... La lueur dans ses yeux semblait avoir été posée là comme un ajout au maquillage; elle devait continuer à habiter ses pupilles même quand elle dormait. Quand elle s'éveillait, la lueur était toujours là, particule incandescente.

— Vous êtes Kathleen?

— Oui, bonjour.

— Je m'appelle Niki.

— Ah, bon. Bonjour, Niki. Où est ma fille, Sophie?

— En compagnie de Bridget.

— Qui est Bridget? Je veux rentrer!...

— Ne vous tracassez pas. C'est une amie. Elle est très fiable.

Elle ne devait pas avoir couché avec Andrew. Elle avait l'air trop sûre d'elle-même. Elle observait intensément Sean.

— Puis-je le prendre? demanda-t-elle.

Je hochai la tête affirmativement.

Je regardais par la fenêtre. J'espérais voir accourir Andrew, qui nous prendrait dans ses bras, Sean et moi, pour nous dire: «Tout va bien, c'était seulement un cauchemar, nous formons de nouveau une famille.» Mais au lieu de cette scène touchante, la réalité c'était cette Niki qui dévisageait Sean et s'interrogeait:

— Il ne vous ressemble pas beaucoup. Ni à Andrew, n'est-ce pas?

— Je ne sais trop... fis-je, embarrassée.

— Le nez! Regardez son nez...

Sean dormait, son petit poing fermé reposant sur le dessus de son crâne. Peu importe ce qu'on dirait, je l'aimais. Je l'aimais, ne serait-ce que pour ce menton, minuscule mais bien dessiné, projeté vers l'avant.

— Il a mon nez, lançai-je avec assurance.

Plusieurs membres de ma famille possèdent ce type de nez. Très étroit entre les yeux et une arête qui descend bien droit. Dans la famille, on se racontait cette histoire. Il y a de ça plusieurs années, un homme était monté dans un train en Ontario pour trouver quelqu'un occupant le siège réservé à son nom. En apercevant le nez de l'inconnu, mon lointain ancêtre aurait dit: «Par votre nez, monsieur, je jurerais que vous êtes un Haggerty.» «Et par le vôtre, monsieur, reprit l'autre, je jurerais la même chose.» Ils avaient raison, tous les deux.

Quand je revins à la maison en taxi avec Sean, Niki et Sophie m'accueillirent à la porte – un peu comme si j'étais revenue d'un voyage d'affaires. Elles étaient très gentilles avec moi et l'appartement semblait en bon ordre. Je m'agenouillai, Sean dans un bras, et serrai Sophie contre ma poitrine. Au début je la sentais tendue. Je la gardai dans cette position jusqu'à ce qu'elle se détende et se laisse aller contre moi. Puis je la soulevai, et sans même avoir retiré mon manteau, je nous installai tous les trois dans le grand lit du vivoir. Je voulais qu'ils se sentent l'un l'autre, qu'ils ressentent les liens du sang qui les unissaient, qu'ils s'en imprègnent. Sophie reposait contre mon épaule. Sean était étendu sur le dos entre mes genoux. J'étais épuisée. J'avais la forte impression d'avoir traversé un ouragan, mais, par chance et persévérance, j'étais de retour au foyer. Jadis, il me semblait une éternité, j'avais repeint les murs, encadrant les trois fenêtres à arche d'un violet foncé, et leurs tablettes étaient de couleur émail. Les rideaux art déco montraient des formes libres, brillantes, pourpres et vertes. Comme dans tous les appartements à l'étage de Bayswater, les plafonds étaient hauts. Tout autour, des meubles que j'avais moi-même décapés. J'étais toute ficelée. Les points de suture refermaient partiellement l'orifice de mon vagin. Ils tiraient au pubis et m'incommodaient. Je me suis rendue dans cette armoire sans fenêtres que nous appelions la cuisine pour y placer un biberon dans un récipient d'eau chaude. Puis je suis entrée dans notre vaste salle de bains et j'ai pris place sur les cabinets d'aisance autour desquels j'avais installé un écran rapporté de Portobello Road – je l'avais tapissé du même motif floral que les rideaux. Niki passait ses premières minutes seule avec les deux enfants. Derrière l'écran, je pressais mes yeux dans leur orbite pour contenir la douleur et tentais en vain d'uriner. J'entendais le ronronnement du réfrigérateur... Au moins, ils avaient retiré la sonde.

Près du bain, la voiturette basse de Sophie. Nous l'avions peinte chartreuse et rembourrée à l'aide de peaux de mouton. Un papier peint rose, avec de fines rayures argent, recouvrait les murs.

J'ai ouvert le robinet pour laisser couler l'eau comme on me l'avait conseillé.

Chez Whitley's, un magasin à rayons du voisinage, ils avaient vendu à rabais des paniers d'osier blancs qu'on avait déjà utilisés pour une montre. Je les avais tous achetés et entassés dans cette pièce où l'humidité transformait peu à peu la paille en pulpe. J'avais pensé les utiliser dans mes cours. J'essayais d'apprendre à mes étudiants à s'exprimer en combinant musique, chants, dialogues, peinture, dessins... J'aimais mon travail; mais je ne jouissais pas d'un statut permanent. Pas de congé de maternité. J'étais donc au chômage.

J'ai arraché du papier hygiénique du rouleau et retiré ma couche-maternité pour, du doigt, repousser mes hémorroïdes à l'intérieur. J'espérais ne pas devoir retourner à l'hôpital pour un lavement ou un cathétérisme vésical – si je n'arrivais pas à uriner, c'est ce qui m'attendait. «T'as besoin d'une coiffure, ma fille», me suis-je dit après m'être regardée dans le miroir. Je me ferais faire une de ces nouvelles coupes, cheveux à angle droit, à hauteur de la mâchoire. Je me suis mouchée. À peu près cinquante livres devaient être en route vers nous de Newcastle. Après, qu'allait-il advenir de nous? Je me tenais devant le grand miroir. Sa partie supérieure était en biseau et son cadre turquoise. Je soulevai les bras. Mes aisselles avaient besoin d'être rasées. L'infirmière du Service de santé publique m'avait prévenue: les dépressions après un accouchement sont assez fréquentes. «Vous pourrez vous sentir inadéquate, impuissante...» Je me disais qu'elle n'avait pas tort...

De retour dans la salle de séjour, je me suis aperçue que Sophie y allait un peu fort avec le crâne fragile de son frère. Je l'ai assise dans sa chaise haute avant d'insérer la dernière cassette des Beatles dans l'électrophone. J'ai ouvert le robinet pour faire la vaisselle, l'ai refermé; alors j'ai dû redémarrer la cassette à partir du début: j'avais manqué les premières mesures. La musique chasserait peut-être cette brume que la dépression tissait peu à peu autour de moi. Ce ne fut pas le cas; elle l'augmenta. «You say yes. I say no...» Niki nourrissait Sophie de carottes fluorescentes et de choux de Bruxelles pilés. Et elle lui essuyait la figure avec une serviette de table. «You say good-bye. I say hello.» Sophie renversa délibérément son lait sur le plancher. Elle se mit à rire. Elle se trouvait drôle. «Très drôle! Tu es vraiment très drôle, Sophie.» Le bébé se mit à pleurer. Il voulait un autre biberon?... Il ne voulait pas un autre biberon?... On allait lui remplir l'estomac?... Ou son estomac était déjà trop plein?... Tous les habits et les vestes d'Andrew ressemblaient à des dépouilles dans la penderie. Un souvenir revint à la surface: nous nous baignions, Andrew et moi, à Jericho Beach, à Vancouver. Il avait plongé et, lorsqu'il était remonté, son maillot le coiffait. Je me mis à rire en pensant à la façon dont Sophie avait lancé son lait sur le carrelage. Quelques

Pendant que je défaisais mes bagages, je lui demandai:

— Vous avez de la famille à Amsterdam?

— Non. Ma mère est décédée et je ne sais pas où est
passé mon père.

— Je m'excuse, j'ignorais...

— Ma mère est décédée dans un camp de prison-
niers japonais. C'est là que j'ai passé mes premières
années.

— Premières années? Combien de temps?

— Les quatre premières années de mon existence.

Je la regardais et je songeais à ce que racontait mon
oncle qui avait été prisonnier dans un de ces camps.
Pour survivre, ils en avaient été réduits à se nourrir de
chenilles. Nous nous étions rendus à la gare pour l'ac-
cueillir. Il avait l'air d'un vieux râteau qu'on aurait
oublié tout l'hiver sous la neige. Ses yeux étaient vitreux
comme ceux de Niki. Ma mère et mes tantes essayaient
de l'embrasser; mais son regard flou, au loin, fouillait
l'horizon.

— Vous vous souvenez de ces années?

— Assez.

— Je l'aurais juré.

J'imaginais les barbelés sur un mur, cette cuillère
cachée sous l'oreiller de Niki, sur le plancher boueux
un plat en émail tacheté de morceaux d'insectes tran-
chés, une étendue de terre gelée, de la morve qui
descendait jusqu'à ses lèvres gercées... Je regardai mes
enfants. D'une main je pressais la tête de Sean contre
mon épaule. Sophie avait lancé sa couverture sur le
plancher et la foulait du pied.

— Niki, commençai-je, embarrassée, je crois qu'on
devrait...

Puis je passai à autre chose:

— Pourquoi ne sortiriez-vous pas les crayons à colorier de Sophie ? Ils sont dans le panier.

41

— Parfait!

Elle sauta de son tabouret pour se diriger vers l'armoire où on rangeait les jouets.

Le lendemain, je décidai de reprendre ma vie en main et de me remettre à travailler. Je sortis une pile de montages-photos, puis je me payai une longue trotte – à pas lents – jusqu'au magasin d'alimentation. Quand je revins, Niki s'absenta à son tour pour quelques heures. Elle se rendit à Portobello Road et en revint avec un vieux manteau de fourrure qu'elle coupa trop court. Elle dut se servir d'une retaille pour ajouter un ourlet. Avec d'autres retailles, elle tenta de se fabriquer un chapeau qui avait vaguement l'air d'un bateau.

— Est-ce qu'Andrew va revenir? me demanda-t-elle. J'aimerais bien le savoir. Il me doit de l'argent. Je vais peut-être devoir me trouver un autre emploi...

— Je vous comprends. Qu'est-ce qu'il vous a dit avant de partir?

Elle me regarda de sous son chapeau.

— Il m'a dit quelque chose sur Sean, que Sean ne serait pas son fils.

— On ne le sait pas, en vérité. Le problème, c'est que je ne crois pas être capable de vous payer, Niki. Il m'a dit qu'il allait envoyer de l'argent, mais j'ignore combien, quand et s'il va en envoyer réellement ou régulièrement... Comme vous pouvez le voir, la situation est assez incertaine.

— Je comprends. Mais va falloir que je me cherche un autre emploi.

— Vous pouvez demeurer ici en attendant si vous le souhaitez.

— Êtes-vous certaine que c'est à cause de Sean qu'il est parti? Il n'agissait pas beaucoup en homme marié.

Sophie et Sean faisaient un somme. J'examinais le désordre de l'appartement et j'essayais de ne pas penser à ce que Niki avait laissé entendre. Quand j'étais seule, je savais toujours d'instinct quoi faire: comment les étapes de mon travail devaient se succéder, quand c'était le temps de me rendre à la cuisine pour prendre un verre d'eau avant que les circuits de mon cerveau se mettent à fonctionner de travers... Mais quand il y avait des gens autour de moi, je perdais mes moyens. Je savais très bien ce qu'elle avait voulu dire, mais je ne voulais pas y penser. Mes ébauches reposaient autour de moi sur le plancher. Certains canevas étaient aussi minuscules que ces cartes que les gardes distribuent dans les parcs en montagne; d'autres, de taille plus imposante, étaient montés sur des cadres de bois qui ressemblaient à des voies ferrées pour train jouet.

Je dispersai au sol les photographies des formations rocheuses qu'on retrouve près de la mer, au pied de la vieille ville, à Ibiza. Parmi elles, il y avait celles de Bryce dans le jardin, celui auquel il travaillait en face de la galerie d'art, quelques minutes avant qu'il s'avance pour me parler. Je ne possédais même pas son adresse. Niki regardait par-dessus mon épaule.

— Qui est-ce? demanda-t-elle en choisissant une photo où sa silhouette se découpait contre un mur de pierres blanches.

— Bryce, un ami.

Elle posa la photo sur une tablette, au-dessus d'une table qui m'avait déjà servi pour mélanger mes couleurs et que j'utilisais maintenant pour langer le bébé.

— Sean lui ressemble. C'est frappant.

Elle me fixait de ses yeux grands ouverts.

Elle avait raison. Bien sûr, Sean n'était qu'un nouveau-né et les nouveau-nés ressemblent à tout le monde... Mais il y avait quelque chose...

J'allai faire couler l'eau pour le bain de Sean. Niki me suivit et s'assit sur le plancher à mes côtés. Je voulais qu'elle me laisse seule; j'avais besoin de me vider la vessie. Elle collait. Pourquoi cette histoire de ressemblance la préoccupait-elle tant?

— Regardez le nez de cet homme. Comparez-le au nez de Sean... Il a la peau foncée; Sean aussi...

— Les bébés ont tous la peau comme ça...

— Sophie avait la peau de cette couleur? demanda-t-elle, insidieuse.

— Non, mais...

Un reflet métallique passa dans son regard. Elle me laissa seule enfin. Je serrais les chairs de Sean contre les miennes.

J'occupai tout mon temps, lors des jours qui suivirent, à chercher des provisions et à nourrir le bébé. J'étais plus que déconnectée de mon travail d'artiste; je ne disposais plus librement de l'énergie ou de la concentration que cela exigeait. Tout ce que je pouvais faire était de répondre aux besoins de mes petits. Je sécrétais et respirais pour ça. Mon sang ne circulait plus pour nourrir et oxygéner mon corps, mais en priorité le leur.

Ce jour-là, pendant qu'ils dormaient, je décidai de m'y remettre, de m'extirper de cette torpeur. D'habitude je sortais avec mon attirail, mais revenais aussitôt. Cette fois, j'empoignai un de mes pinceaux et, rapidement, pour me déjouer moi-même, je me mis au travail. Un paysage émergea de mon inconscient. Je fixai en verts sombres sur la toile des centaines de sapins qui escaladaient une colline. Je commençai mon tableau par le côté opposé à la lumière, puis je m'attaquai au côté lumineux – laissant de larges pans de ciel découpés par les nuages. Une silhouette barbue marchait le long de la plage, traînant une chaîne. L'homme attirait mon attention vers une barge lourdement chargée de billots qui apparaissait au bout d'une pointe. «Ça va faire un beau paysage», lança-t-il. Les habitants des fermes qui regardaient passer les trains à bestiaux en direction d'Auschwitz par les doux soirs d'été devaient se dire la même chose. Il me rappelait quelqu'un. Je ne pouvais me souvenir de qui en particulier. L'eau dessinait des ovales verts sur le bleu, et un goéland traversait l'espace au-dessus des collines sombres, y promenant un trait éblouissant, avant de disparaître à nouveau, confondant sa blancheur à la blancheur du ciel et de la mer... Puis il plongea sous la ligne des arbres et se posa à la surface, mélangeant les verts et les roses...

Même si, pendant l'hiver, les vents froids fouettaient la cime des arbres, je ne pouvais m'empêcher de me rendre au cottage. Sur la plage, à l'aide d'une épuisette, j'attrapais des moules, des étoiles de mer... La source de ma peinture était dans le souvenir. Je devais retourner par l'imaginaire... vers cette époque où je me brossais les cheveux tout en regardant par la fenêtre pour voir si mes amis fictifs ou réels étaient présents. À cette époque de ma vie où, jeune princesse, j'évaluais mes trésors dans ma chambre mystérieuse; vers cette époque où la frontière entre rêve et réalité n'existait qu'à peine, des personnages s'agitaient comme des puces de sable sur la plage, cherchant leur chemin à travers des amas rocheux recouverts de mollusques, fuyant la marée, ressemblant à de grosses araignées dans leurs véhicules dont les roues stridentes projetaient le sable, creusaient le gravier et écrasaient les coquillages qui s'y étaient enfouis, avant de se réfugier dans une caverne derrière un rocher immense pour émerger dans notre cour entre les racines d'un vieux sapin. Ils en sortaient, jouant des coudes, tournant la tête de leurs montures vers la gauche, vers la droite... Pressés de laisser place aux cavaliers qui les suivaient... Une fois en sécurité, dans la cour arrière de notre demeure, ils exigeaient des sièges à l'ombre du parapet ou du parasol qui leur plaisait. Mon seigneur et maître levait ses quatre doigts (son pouce était planté dans la paume) et saluait la compagnie. Vous deviez complaire à chacun d'entre eux. Pas moyen de faire autrement. Vous deviez en habiller un de satin brodé d'or, tandis qu'un autre vous tapait sur l'épaule et vous tordait le pied dans tous les sens jusqu'à ce que vous acceptiez de pourchasser et de ramener une mousse de pissenlit à travers tout le jardin, au cas où il prendrait la fantaisie à l'un d'entre eux d'arriver par la voie des airs...

Qu'une chose à faire: me réfugier auprès de ma mère qui cueillait des baies – ces baies étaient si minuscules qu'il fallait en cueillir pendant des heures afin d'en fabriquer une tarte. Elle se tenait là, sous son tablier blanc aux pochettes brodées, dans le soleil éblouissant, de l'autre côté de la haie de cèdres. Ses chaussettes étaient rabattues sur ses espadrilles, ses cheveux relevés en chignon. Lorsqu'elle se retournait, cet endroit de l'espace que son nez avait occupé tournait au noir. Elle envoyait la main à un corbeau qui passait, il s'en emparait et s'envolait, la tenant dans son bec, vers la cime des arbres. Heureusement, elle avait laissé sa couronne sur la table de la cuisine. Oncle Ned s'approchait de nous et lançait: «Je t'arrache le nez!» Et il plaçait son pouce entre ses doigts pour nous faire croire qu'il nous l'avait arraché. Il buvait et possédait un magasin général près de Courtenay. Derrière son dos immense, des tablettes recouvertes de marchandises et de poussière. Au cottage, il s'assoyait souvent à la table de la cuisine, silencieux. Il ne parlait jamais de la guerre, mais on le sentait fragile. Fragile comme une tasse de porcelaine de Chine que ma mère aurait bien aimé ranger dans une boîte, bourrée d'ouate... J'avais raconté à ma mère l'histoire de ces petits pieds, aussi agiles et frétillants que des vairons, qui déambulaient et piétinaient contre le mur extérieur du cottage. Ils réclamaient des souliers, avec l'insistance des oisillons qui réclament des insectes...

En remontant le lit recouvert de cresson sauvage du ruisseau, au-delà des bouleaux blancs, là où les myosotis distendent leurs ombrelles, est-ce là que mère avait vu des cœurs-saignants? Non, non, les cœurs-saignants conviendraient pour fabriquer des pantoufles pour dames, pas pour ces petits pieds que je lui avais décrits... De toute façon, on irait voir... Elle comprenait l'urgence de ma demande et ne se préoccupait pas d'abandonner sa lessive humide dans le panier sous la corde à linge qui reliait le sapin et le cèdre. Les aiguilles pouvaient tomber, les fougères pousser, la mousse et la vigne grimper sur le côté nord des troncs plus hauts que les haricots, elle ne s'en souciait pas... Des touches de rose, c'était là la première couleur à apparaître au printemps; le mûrier nain fleurit dans les buissons; tout comme les digitales pourprées et, dans les espaces ouverts, entre les plaques de gazon, les épilobes à feuilles étroites...

Quand j'ai levé les yeux de mon travail, Niki prenait place derrière moi. Elle tenait les enfants dans ses bras. Je lui jetai un regard du coin de l'œil. Elle me remit Sean et déposa Sophie dans son parc avant de lancer:

— Pour répondre à votre question, je n'ai pas de famille. Les gens qui ressemblent le plus à ce que pourrait être une famille, pour moi, sont des amis qui habitent Paris, près de Montmartre.

Je posai mon pinceau. Ma vessie trop pleine doublait presque le volume de mon ventre. Je ne pouvais uriner et j'avais mal. Je devrais retourner à l'hôpital et on allait me remettre une sonde.

— Les connaissez-vous? demanda-t-elle.

Je me mis à rire.

— Comment voulez-vous que je les connaisse? Vous ne m'avez pas dit qui ils sont? qu'est-ce qu'ils font?

Je commençai à enfiler un pantalon de maternité. Je le détestais avec sa poche de type kangourou, mais rien d'autre ne me faisait.

— Je vais essayer de vous expliquer qui ils sont.

Elle dirigeait son regard vague vers le tapis.

— La femme d'abord. Loesic qu'elle s'appelle. C'est le genre de personne qui vous donne envie de dévorer un fruit seulement à la façon dont elle le place dans un plat. Vous voyez ce que je veux dire?

Elle tenta de mimer le geste. Elle s'empara d'un fruit invisible dans l'espace et le déposa sur la table. «Ce serait mieux si nous étions au rez-de-chaussée, pensai-je. Ce serait mieux si nous étions à la campagne. N'importe quel endroit où je pourrais m'installer et dénicher de l'aide pour retomber sur mes pieds.»

— Elle fait tout avec rien. Tout ce dont elle a besoin, c'est un paquet de pailles et un tas de roches.

— Qui ça?

— Loesic. Mais n'allez pas penser qu'elle est folle ou évaporée. Elle est solide comme du granit. Et Jean-Paul – son mari, je crois – c'est un artiste. Il rit tout le temps. Et quand il rit, il a la figure toute rouge.

— Je fais confiance aux gens qui rougissent facilement. Passez-moi une épingle, voulez-vous, Niki?

— Et quand nous nous rendons à Bouchauds, où ils ont une maison de campagne, tôt le matin, Loesic exige qu'on l'accompagne jusqu'à ses massifs de lilas. Là, vous devez relever bien haut la tête (Niki étira son visage vers l'ampoule du plafond) et Loesic secoue la rosée des branches. Votre peau et vos cheveux en sont tout aspergés.

Son visage devint serein. Elle se souvenait peut-être du seul moment de sa vie où elle s'était sentie heureuse. Elle accueillait ce souvenir comme on accueille le soleil après un long hiver.

— Ça semble exotique. Très français.

— Tout le monde à Paris est d'avis que si des gens devaient avoir des enfants, c'est bien les Richter... Mais ils ne peuvent pas en avoir.

Elle écarquilla grand les yeux, s'efforçant de ne pas ciller.

— Ils ne peuvent pas quoi?

— Avoir d'enfants.

Niki avait rapporté des colliers de perles et des chapeaux de Petticoat Lane. Elle avait suspendu le tout à des crochets en fer forgé sur le cadre du miroir. Elle les essayait lorsqu'elle me dit qu'elle connaissait un truc de maquillage qui m'aiderait à souligner l'ombre sous mes arcades sourcilières. Elle m'apprit également que, dans ce camp où elle avait passé ses premières années, les femmes lui avaient confectionné une robe dans le chiffon qui avait servi de couverture à sa mère, après avoir lavé le tissu dans une mare d'eau laissée par la pluie. La plupart du temps, ses yeux ne montraient pas de pupilles. Ils effleuraient tout, mais paraissaient ne se fixer nulle part.

— Je voudrais que vous me permettiez de les inviter.

Comme son regard, sa conversation vagabondait.

— Pourquoi?

— Je veux que vous les rencontriez. C'est vraiment des gens extraordinaires.

— Qu'est-ce que vous voulez dire?

— La façon qu'ils ont d'être, de se comporter...

— Ça ne m'en dit pas plus sur eux.

Devant le miroir, elle enduisait ses cils de mascara.

Je revins de l'hôpital cette après-midi-là, soulagée et munie de médicaments qui devaient réduire l'enflure conséquente à un accouchement et me permettre d'évacuer de nouveau normalement. Niki était sur mes talons. Elle n'arrêtait pas de me parler de ses amis parisiens. Jean-Paul l'avait beaucoup aidée: il parlait l'allemand et Niki y avait vu là un moyen d'obtenir par son entremise une personne germanophone qui pouvait lui fournir des renseignements sur son père; Jean-Paul avait servi de traducteur. Elle passa l'après-midi étendue sur le tapis de la salle de séjour, en tenue de nuit. Elle montrait des images de *Vogue, Elle, Nova*, à Sophie. Puis elle se rendit à la pâtisserie d'où elle rapporta des muffins aux bleuets. Elle nourrissait Sophie avec de petits morceaux, la taquinant. Les jours passèrent. Niki et moi arrivions à nous en tirer assez bien. Mais le caractère temporaire de la situation ne pouvait nous échapper. Nous étions un peu dans la situation d'une troupe qui aurait répété alors que la distribution n'aurait pas encore été complète.

***

Le tableau qui suivit représentait un château vide. *De petits drapeaux triangulaires se déplièrent dans le vent... À l'appel des trompettes, des chevaliers jaillirent par le pont-levis...* Sophie était tranquille. Trop tranquille. J'entrai dans le living room. Elle empilait avec soin ses jouets – son canard jaune en éponge, son cochonnet rose, son poisson à rayures – sur Sean qui reposait dans son berceau. Sa souris favorite couronnait le tout, comme une cerise sur un sundae. Le bébé regardait sa sœur, un sourire confiant sur les lèvres. Elle agissait comme si elle s'était trouvée à la plage et qu'elle eût voulu enterrer son frère dans le sable. Je me suis agenouillée et j'ai commencé à retirer les jouets un par un. Sophie devint très agitée: elle pleurait, gesticulait... La sonnette de la porte retentit. Je soulevais Sophie quand Niki l'a retirée de mes mains. La sonnette retentit de nouveau. J'allai répondre. Un couple se tenait sur le seuil. Ils étaient plutôt grands, comme Niki me les avait décrits. Leurs bras débordaient: roses, viande de bœuf, champagne...
— Bonjour. Entrez, dis-je.
Je jetai un coup d'œil en direction de Niki qui se tenait au milieu de la pièce, Sophie dans les bras. Elle semblait très étonnée. Comme si elle n'avait pas vrai-

ment cru qu'ils allaient venir. Elle finit par poser l'enfant et ce fut une multitude d'embrassades, de «ça va? ça va, ça va...».

Le lit du living était défait. J'allai arranger les couvertures à la sauvette pour qu'ils puissent y prendre place. Quand je revins dans l'entrée, Loesic Richter s'y tenait toujours immobile et grave, dans son pantalon flottant et son chandail de velours qu'elle porterait pour la durée de son séjour. Appuyée contre le bahut, elle fumait. Elle avait une bonne grosse figure sans maquillage; elle reflétait la bonté. Ses cheveux, en larges tresses, lui enserraient la tête.

Elle m'observa un temps, puis s'avança résolument dans le living pour s'y installer dans ma chaise à bascule. Elle bougeait de façon à tester la résistance des ressorts. On aurait juré qu'elle se trouvait dans un magasin de meubles et qu'elle s'apprêtait à acheter du matériel de bureau. Sean se mit à pleurer. Je me rendis à la cuisine pour faire chauffer un biberon.

Je n'aurais su expliquer pourquoi, mais, la façon détendue dont Loesic marchait, jetait un regard dominateur sur toutes choses, m'incitait à lui conférer une force intérieure peu commune. Les deux m'apparaissaient de souche paysanne, être nés dans une de ces maisons de ferme dont la cuisine a des murs de pierre et un plancher de tuiles rouges; sur une de ces petites exploitations agricoles où les gens transportent des légumes et des œufs dans des paniers à bout de bras...

—Vous prendrez du thé? J'ai du Red Zinger, du thé aux amandes, du Earl Grey...

Jean-Paul s'assit de façon bizarre dans la chaise longue, mains entre les genoux. Il paraissait un peu intimidé et, en même temps, semblait attendre quelque chose. Il avait l'air de quelqu'un qui se décide rapidement et peut faire face sans broncher aux situations les plus ardues; mais il était le genre d'homme à ne pas s'arrêter aux détails, même significatifs, une fois son opinion arrêtée... Il avait retiré son imperméable. Des bretelles retenaient son pantalon en velours côtelé trop large. Il releva son col roulé jusqu'à son menton barbu. Je retirai le biberon des lèvres de Sean qui, l'air indigné, continuait de sucer dans le vide. Nous nous sommes alors tous installés au salon, rassemblement incongru où régnait une certaine gêne.

Jean-Paul se mit à parler en français. Son débit était rapide. Il s'enquérait auprès de Niki d'un Armand que cette dernière voulait lui présenter. Tout en parlant, il m'observait. J'avais retiré le maillot de nuit de Sean, l'avais changé et le tenais contre mon épaule. Le nouveau-né avait vraiment l'air d'un vieillard miniature avec sa peau plissée, ramassée en ourlets sous les aisselles. Sophie commença à le frapper du plat de la main.

— *Votre voyage en avion, il était bon?* C'était bien? demanda Niki.

— *Mais oui.* Ç'a bien été. *Mais la nourriture!*

Jean-Paul grimaça.

— La charcuterie était immangeable. Et le café horrible.

— *Vous parlez anglais?* demandai-je à Loesic.

— *Oui. Je peux dire:* «The cow is in the meadow» (La vache est dans le pré).

— C'est vraiment là tout son anglais parlé, reprit Jean-Paul. Mais elle le comprend assez bien.

Loesic haussa les épaules. Elle ne portait pas trop attention à ce détail. On se débrouillerait. Elle ne s'occuperait pas tellement des mots que je dirais, ni dans quelle langue. Cigarette suspendue à ses lèvres, elle me jaugeait à travers ses yeux mi-clos: beaucoup plus sur ma façon de m'exprimer, sur mon langage gestuel que sur le sens de mes paroles. Elle se mit à ranger les jouets de Sophie dans leur sac en filet. Les ongles de Sean étaient aussi longs que ceux d'une sorcière. «Coupez-les avec vos dents», m'avait conseillé l'infirmière. Loesic m'observait avec de grands yeux pendant que je le faisais. Peut-être pensait-elle que j'allais le dévorer, en commençant par les doigts?

— *Café?* proposa Niki, en route vers la cuisine. Mais elle se laissa distraire par leur conversation en un français rapide. Je ne pouvais me concentrer aussi bien que Loesic et tombai en plan sur la plate-forme avec le train disparaissant au bout de la voie ferrée. Une petit pause me permit de le rattraper.

— Vous en avez pour longtemps à Londres? lui demandai-je.

— *Peut-être.*

Elle parut étonnée de ma question.

— Nous n'avons pas beaucoup d'espace. Mais, si vous vous en accommodez, vous pouvez rester ici.

Niki paraissait de plus en plus impatiente. Elle ne cessait de regarder sa montre.

— Écoutez, fit-elle, j'ai promis à Armand de vous amener chez lui aussitôt que vous descendriez de l'avion. On va prendre le Tube. C'est comme le métro de Paris, en plus propre.

Loesic secoua la tête:

— Nous sommes fatigués, Niki.

Elle sortit un sac de tapisserie à poignées de bois de sa malle pour en extraire quelques balles de fil de coton. Méticuleusement, elle posa ses lunettes sur son nez et se mit à travailler au crochet; elle alternait les dentelles vert pâle et roses, puis revenait au blanc quand elle avait terminé un rang. Elle avait emmagasiné tous les renseignements dont elle avait besoin pour le moment. Elle pouvait s'arrêter d'observer et d'écouter, et, impavide, elle concentrait toute son attention sur sa broderie.

Au crépuscule, la lumière de la rue fit irruption dans l'appartement. Elle provenait d'anciennes lampes à reflet bleuté, accrochées à des poteaux de ciment. On se serait attendu à entendre un homme en imperméable chanter sous un de ces lampadaires. De temps à autre, Loesic levait les yeux de son travail et jetait un coup d'œil à cette lumière qui, peu à peu, était passée de l'opacité anthracite d'un ciel couvert au bleu marine d'un soir d'automne. La main de Sean enserrait mon doigt. Je l'entrouvris. La peau, tout autour de ses doigts, s'écaillait. À l'hôpital, l'infirmière m'avait informé que ces peaux tomberaient d'elles-mêmes.

— *Le* (sic) *peau ici. Elle tombera... plus tard,* dis-je en touchant les menottes. *Vous comprenez?*

Elle observa Sean un moment et me répondit avec un sourire:

— *Oui. Vous n'êtes pas anglaise, Kathleen?*

— *Non, je suis canadienne. De la côte du Pacifique.*

— *Ah.*

Je songeai au dîner:

— Cette pièce de bœuf que vous avez apportée, nous devrions la mariner.

— *Oui.*

Je passai un tablier. Jean-Paul distribuait le pain et le vin. Étrangement, il montrait beaucoup de bonhomie quand il pensait que nous l'observions, mais son œil redevenait très inquisiteur quand il ne se sentait pas observé. Sophie, qui avait revêtu un pyjama chinois de satin rouge, puisait allègrement à l'aide d'une cuillère dans les pommes de terre en purée et la compote de pommes.

Je leur laissai le lit de la salle de séjour et je déménageai le berceau dans la chambre. Chacun sur leur couche, les deux enfants dormaient tête-bêche. Au milieu de la nuit, je sentis que Loesic était éveillée et fixait le plafond. Dans le silence, la confiance peu à peu s'installait. Mes nouveaux amis dormaient sous le même toit que nous. Des liens se tissaient.

Le lendemain, Sophie s'éveilla la première. Assise au bout d'un rayon de soleil, elle s'amusait avec un de ces jouets complexes qui visent à développer des habilités élémentaires chez les enfants. Elle composait des numéros de téléphone sur un cadran de plastique, soulevait et rabattait des leviers, poussait les perles multicolores d'un boulier... Elle avait besoin qu'on la change. Sa frange blonde lui tombait sur les yeux. Je la lavai et, pendant que je trempais sa couche dans les toilettes, elle courait partout, fesses à l'air.

Loesic s'était levée et s'était rendue dans la cuisine pour faire du café. Elle avait désassemblé le percolateur. Le panier, la tige, le pot reposaient sur le comptoir. Elle les observait, impuissante. Puis elle haussa les épaules, posa la bouilloire sur le feu et alluma une cigarette avant de prendre place sur un tabouret. J'essayais en vain d'immobiliser Sophie pour la vêtir. Mais c'était son jeu favori, ce matin-là, de m'empêcher d'agrafer son pantalon. Elle trébucha et le bruit tira Sean du sommeil – juste au moment où la bouilloire commençait à siffler.

— Un instant, dis-je à Loesic. Tu commences avec *de l'eau froide*. On n'a pas besoin de bouilloire...

Sean sur un bras, je réussis à emplir le panier de café et à remettre en place les morceaux du percolateur. Sophie apporta son pyjama de satin à Loesic et grimpa sur une table ronde près de la fenêtre de la salle de séjour, avant d'entreprendre de projeter sur le plancher les jouets qui y avaient été rangés. Les brochures de voyage de Jean-Paul s'y trouvaient également. Elle s'apprêtait à les asperger de jus d'orange lorsque Jean-Paul jaillit du lit.

— Hé! Sophie, tu n'aimes pas les galeries? lança-t-il en riant. Qu'est-ce qui se passe avec toi? Tu es plus destructrice qu'un critique d'art.

Il commença à feuilleter ses brochures.

— *Bien*. Aujourd'hui, on visite la Tour de Londres, la National Gallery, le Tate...

Mais ils ne firent rien de tout ça. Jean-Paul ne pouvait détourner les yeux du berceau. Des rides en pattes-d'oie s'élargissaient autour de ses yeux attentifs et rieurs. Il me confia qu'il espérait voir les peintures de sir Francis Bacon pendant leur séjour à Londres.

Loesic me demanda où je rangeais l'aspirateur. Je n'en possédais pas. Elle fit de son mieux avec un simple balai. Elle en fit même un amusement pour Sophie, à qui elle attribua la tâche de nettoyer un minuscule espace du plancher. Puis elle fabriqua une jupette pour sa poupée. Jean-Paul sortit des documents d'une mallette et s'installa sur la table.

Loesic s'agitait tout le temps. Elle paraissait le genre de personne à vouloir prendre la rue aussitôt arrivée dans une ville étrangère, histoire de voir ce qui s'y passe.

— *Où est Niki?* demanda-t-elle.

Je lui expliquai que Niki n'était pas entrée la veille, comme ça lui arrivait souvent. Il n'y avait pas de quoi s'inquiéter.

Vers onze heures, elle sortit un filet de derrière le frigo et attrapa son sac.

— *Je vais faire les courses*, lança-t-elle.

— Vous voulez que je vous accompagne?

— *Non.*

— *Mais, Jean-Paul...* Elle ne connaît pas *les magasins*, ni les alentours. *Voulez-vous accompagner votre femme?*

— Ne vous inquiétez pas, Kathleen. *C'est bien.* Ça va aller, dit-elle.

Une fois qu'elle fut sortie, je couchai les enfants pour leur somme de l'avant-midi et me réfugiai dans mon studio, abandonnant Jean-Paul à ses rôties froides, à ses cartes et à ses brochures pour touristes.

«Je n'avais jamais pensé que des arbres pouvaient

marcher. Ou s'agenouiller. Dans le fond, pourquoi pas? Il y avait là tant d'arbres... Puis de l'herbe. L'herbe dans laquelle Sean reposait... Je peignais un château au milieu d'une forêt sous la pluie. Des gens l'y avaient construit jadis. Une pâle apparition dans les ténèbres.» Je traçais des esquisses pour une série de tableaux au fusain, en noir et gris... Sauf pour une tête de femme de l'époque médiévale sur la dernière page de mon calepin. J'avais percé un trou dans chaque page et, peu importe à quelle page vous en étiez, elle vous observait de son regard dur et glacé sous sa coiffe. Je devais trouver un moyen de la faire ressortir comme figure centrale, de lui donner du relief. Je la monterais probablement sur un coussinet à épingles ou je l'encadrerais de cuir craquelé pour lui donner l'apparence d'un de ces visages peints par les maîtres anciens, qui semblent disposés sur un miroir fragile et morcelé, qu'un léger souffle de vent pourrait éparpiller.

«De l'autre côté du canal, un train de nuit siffle et la pluie heurte les carreaux. De nouveau, les frottements et les craquements du quai de billots que la marée soulève au pied du cottage...» Vous tournez la page et vous apercevez la silhouette d'un château de rêve. «La rosée du matin orne de perles les plantes. L'envers des feuilles est toujours à l'ombre...» Le père pouvait partir et, seul, faire face à ses fantômes. Il allait s'étendre figure dans le sable sur les grèves de la mer du Nord. Il allait s'écraser dans cette forêt où il avait voulu chasser... Partout les ombres du soir. Beaucoup de fumée par la cheminée de la hutte. De ma main je soulevai une mèche de ses cheveux et soufflai sur la chair de son cou avec tendresse. Prétendre que j'étais sa mère était la seule façon d'éloigner la douleur et l'angoisse. Les rites et les complications de l'accouchement l'effrayaient. Loesic allait donc prendre sa place et me soutenir au-dessus du puits de naissance muré de cèdres. Imaginez comment je me sentirais si vous me disiez que Sophie n'est pas ma fille... Sophie voulait voyager sur un bateau en route pour la Chine, chargé d'épices et de soie. Non, au fait, elle ne le voulait pas vraiment. Peut-être qu'Andrew reviendrait pour elle et ramènerait de la nourriture pour l'hiver. Peut-être regrettait-il déjà sa décision hâtive. Lentement les liens familiaux allaient se reconstituer – et incluraient Jean-Paul et Loesic... Tous, nous couchions seuls, enveloppés dans nos peaux de daim et d'ours; tous dormaient seuls, juchés sur la plateforme de bois, mais nous ne nous tenions pas trop éloignés les uns des autres. Lorsque nous ouvrions les yeux, dans l'obscurité, nous ne pouvions savoir si quelqu'un d'autre veillait sur la flamme...

Niki revint dans l'après-midi pour repartir aussitôt avec Jean-Paul. Elle allait rencontrer cet homme qui avait peut-être connu son père pendant la guerre et Jean-Paul allait lui servir d'interprète. Loesic faisait la lecture à Sophie; j'écalais des pois et je préparais un rouget à l'aneth pour le dîner. Je rêvais: ils pourraient peut-être habiter avec nous. Nous pourrions dénicher un appartement plus grand. J'aimais les savoir là. Si nous nous tenions, aucun problème ne saurait nous abattre. Mais les activités de Jean-Paul ne pouvaient peut-être pas se transplanter de Paris à Londres comme par magie. Et si Andrew revenait? Assez de supputations! Mon imagination avait pris le mors aux dents: ils n'étaient pas aussi extraordinaires... Et puis non! Je voyais juste: c'étaient des gens solides et francs; ils ne jouaient à rien. Mais si Andrew revenait? S'il rejetait Sean? «C'est avec moi que Sophie devrait habiter, votre honneur. Mon épouse a avoué son adultère...» Non, les liens avec Sophie étaient trop nombreux, trop étroits... Je ne connaissais Sean, en fait, que depuis quelques jours. Et je m'étais retenue de trop m'attacher à lui. Percevait-il la distance que je souhaitais maintenir entre lui et moi? Il devait ressentir mon attitude. Les nouveau-nés sentent ça d'instinct. Et ce n'était certainement pas bon pour lui. «Monsieur le juge, il y a toutes les raisons de croire que je ne suis pas le père... Comment pourrait-on s'attendre de ma part à ce que je m'en sente responsable?...» Nous retournerions peut-être en Espagne si Andrew revenait. Et après? De quoi et comment vivrions-nous?

Je réfléchissais également à un plan B: je me trouverais un emploi à temps plein et me paierais une gardienne – il me resterait à peine de quoi manger et je ne verrais que très peu mes enfants. Sophie et Sean ne possédaient déjà pas de père...

Toutes les solutions apparaissaient insatisfaisantes. Retourner à Vancouver? Pas question: j'étais partie contre l'avis de tous, enceinte de Sophie, alors que mon époux m'avait abandonnée une première fois...

— *Ça va, Kathleen?*

Loesic m'observait. Elle m'avouera plus tard qu'elle devinait très bien à l'époque ce qui me tourmentait; à savoir que, si je pouvais me débrouiller avec un enfant, je ne saurais me débrouiller avec deux.

— Je suis inquiète, Loesic. J'aime Andrew, *mon mari. Sophie a besoin de son père.* Je veux qu'il revienne. *Je suis très triste.*

Assise sur son tabouret, elle fixait le plancher. Puis elle leva les yeux vers moi et nous nous observâmes longuement. Soudain elle me demanda:

— *Mais il n'est pas le père, n'est-ce pas?*

— C'est ce que pense Niki. Moi, *je ne suis pas certaine.* Andrew nie être le père; il ne veut prendre aucune responsabilité envers Sean... Qu'il soit le père ou non, le résultat est le même: il ne veut pas assumer sa paternité.

J'avançai (ce que je ne croyais pas) qu'Andrew aurait

bien aimé vivre avec Sophie et moi – je le souhaitais tellement que je me mentais à moi-même.

Elle hocha pensivement la tête. Puis elle sortit des photos de Bouchauds, leur propriété à la campagne. Un très bel endroit: un muret de pierre le long d'une rivière, l'herbe haute devant la maison... «*C'est beau. C'est très beau*», répétais-je.

— Y passez-vous beaucoup de temps?

— Autant que nous le pouvons, reprit-elle en me regardant de ses yeux insatiables.

Cette nuit-là, je me suis réveillée en pleurant. J'avais un rhume terrible. Loesic s'était levée avant moi et avait placé un récipient émaillé sur la cuisinière. Elle fit chauffer le biberon pour Sean et me l'apporta. Puis elle et Jean-Paul restèrent debout à regarder la télévision et à jouer aux cartes dans le living. Jean-Paul ne prenait même plus la peine de ranger ses papiers. Lorsqu'on avait besoin de la grande table pour les repas, on les plaçait n'importe où. Je ne m'en faisais plus avec l'avenir. Je me faisais accroire qu'ils demeureraient pour toujours avec nous.

Une auto heurta le mur de la maison de l'autre côté de la rue. Cette nuit-là, pour le deuxième boire, je passai mes pantoufles, me rendis dans la cuisine et fis chauffer le biberon. Je lui avais donné mes jointures à sucer pour éviter qu'il pleure et éveille Sophie. J'enroulai une serviette autour de ses jambes fines et le pressai contre mon sein. Je dois m'être endormie. Sean aussi. La tétine lui échappa et il se réveilla en sursautant, m'éveillant par le fait même.

À ce moment, je sentis sur mon épaule la main ornée de bagues de Loesic.

Davantage de formes bleues, ovoïdes. Presque circulaires entre les branches. Cèdres bleu marine sur le mur, devant moi.

— Si seulement je pouvais dormir pendant un

boire... Je ne suis plus bonne à rien quand je ne dors pas...

Elle approuva de la tête: ce que je tentais de dire lui apparaissait évident.

La neige descendait le long des cèdres géants et tournait en pluie... Le tic-tac de la pluie qui tombe de la gouttière et, plus rapidement encore, des lierres, en même temps que le récipient glisse sur le rond de la cuisinière...

Au boire suivant, Loesic était assise bien droite sur mon lit, Jean-Paul à ses côtés, appuyé sur des oreillers au tissu moiré. Il en éprouvait la douceur au toucher. Je portais une chemise de nuit de serge blanche. Mes cheveux étaient tressés. On cogna à la porte. Encore et encore... Elle alla ouvrir et entra la bouteille de lait. Un faible reflet de lumière dans l'obscurité...

Soudain, j'ai eu besoin de sortir. Je pris l'ascenseur. Dans la rue, en robe de chambre, j'arpentai le pavé et j'agrippai mes bras comme si j'avais peur de les laisser tomber. Pour prendre soin des enfants, j'aurais dû le savoir, inutile de compter sur Andrew. Trop instable. Même s'il revenait, ce serait pour Sophie; rien à attendre de lui pour moi-même. Je savais tout ça lors de mon départ de Vancouver; mais je n'en étais pas consciente. Il s'agissait de mes enfants. Et je devais prendre les meilleures décisions – pour eux, pour nous... Des décisions qui seraient valables, qu'Andrew revienne ou non. Qu'est-ce qui arrivera si je décide ceci? cela?... Si je fais ceci? cela? Rien de mal ne pourrait lui arriver. Ils le protégeraient. Nous serions tous en sécurité. «Mais, tu les connais à peine, ma fille!» Je les ai assez vus et entendus pour savoir qui ils sont. Ils sont ici, j'ai besoin d'eux et ils ont besoin de moi. Est-ce que je peux faire ça? «Certainement que je le peux!» Il est inutile de se torturer ainsi, inutile de se jeter en bas de la cage d'escalier. «Je me jetterai d'où je voudrai quand je le

voudrai... Qu'as-tu fait du bébé pendant mon absence?
Je l'ai mangé.» Et mes parents? Je ne peux pas leur faire
ça. Je vais le leur dire. «Non, tu ne le leur diras pas.» Si
nous nous y mettions tous ensemble, les Richter et moi,
à trois, nous pourrions très bien élever sans problèmes
deux enfants en bonne santé physique et mentale.
«Oublie ça. Tu es seule, et seule tu resteras.» Quand je
suis fatiguée, je blâme tout le monde. Andrew et moi
ne pourrions jamais reprendre la vie commune après
tout ce qui est arrivé. «Tu te mens. C'est pour cette
raison que tu t'apprêtes à prendre cette décision. Si
Sean ne vit plus avec toi, tu t'imagines qu'Andrew va
revenir.» J'ai imaginé les Richter; ils ne sont pas réellement là. Mes parents vont me regarder sans mot dire.
Ils vont s'apercevoir que je m'efforce de sourire...

Je rentrai. Dans la cuisine, Loesic tenait un biberon
à bout de bras. Elle testa la température du lait sur la
peau de son poignet avant de me le remettre. Elle
s'approcha; elle sentait bon. Près du berceau, elle tendit un doigt au bébé qui l'agrippa. Mais elle ne le prit
pas dans ses bras. Sean avait besoin qu'on le prenne.
Nous le savions toutes les deux. Nous nous examinions
en silence. La pulsion de soulever le nouveau-né engor-
geait mes seins – de sang, je présume. Je me retins
quelques secondes... et alors j'eus une vision: d'abord
que de la lumière, puis ils se tenaient tous les trois au
milieu d'un pré – Loesic, Jean-Paul et Sean qui avait
jailli de son berceau et avait été projeté dans leurs bras.
Ils le lançaient en l'air en riant. Ils étaient à l'extérieur,
dans un champ ou une clairière qui sentait l'herbe
fraîchement coupée. Je me précipitai hors du cercle de
lumière. Tout ça ne se produisit qu'une fois, mais le
phénomène était réel: une roue lumineuse qui tour-
noyait. Je retins mon souffle. Ils se lançaient tous les
trois vers l'arrière et rebondissaient, comme sur un
trampoline. Nous dansions maintenant de façon bi-

zarre, formant des rondes les uns autour des autres... Loesic fit un long détour pour passer près de moi dans le couloir, et je retardais la satisfaction des besoins de Sean... Je faisais inutilement des recherches par toute la ville quand la personne qui pouvait résoudre mes problèmes vivait à un pâté de maisons de ma demeure... et ça, je l'ignorais, jusqu'à ce que je sois étonnée de me retrouver à proximité de chez moi...

Je m'étendis pour reprendre du sommeil, mais je m'éveillai une heure plus tard. L'appartement ressemblait à une maison de poupée dont on aurait supprimé le mur avant; toutes les cloisons entre les pièces étaient transparentes. Loesic se retourna dans son lit et se colla contre Jean-Paul. Je la sentis qui se mettait à dériver, alors je me mis à dériver avec elle... Une heure plus tard, soudain, je me redressai dans mon lit. J'essayais de réfléchir: où était passé le bébé? Je me mis à rêver que je l'échappais; lentement il glissait de mes mains, et elle le rattrapait, avec une telle douceur qu'il n'était conscient de rien. «Il va y voir une différence!» répétais-je. Toutes ces respirations dans l'appartement – nous respirions tous encore – l'aube jetait ses premières lueurs. Jean-Paul, Loesic, Sean, puis Sophie... Ensuite Sophie, puis Jean-Paul, puis Loesic, puis Sean. Puis Sean...

Ce matin-là, je ne pouvais détacher mes yeux de son bassin et de ses hanches; le bas de son corps me faisait penser à une vasque. Mes intuitions et mes projections inconscientes m'entraînaient loin en avant, au-delà de moi-même, au-delà d'où, de façon consciente, j'aurais voulu aller. J'aurais voulu dormir; un point, c'est tout. Mais nous en étions aux œufs durs et au pain de notre petit déjeuner, et nous n'avions pas de napperons... «Pardonne-moi, Sophie...» Pendant que tous mangeaient, je me suis levée et je suis allée chercher Sean dans son berceau... Puis vint cette décision prise en une fraction de seconde: je traversai le living, Sean dans mes bras...

«Pardonne-moi, Sean...» Oh! mon Dieu!... La moquette était bleue et mes mains,glacées... Quand j'évaluai la distance à parcourir, j'eus peur de perdre l'équilibre, de tomber... Loesic me regardait avec calme. Elle semblait se demander pourquoi je prenais si longtemps... Je devais me décider: ou bien je lui apportais le bébé ou je ne le lui apportais pas... Soudain, je me retrouvai devant elle et je déposai Sean sur ses genoux. Jean-Paul bondit de son siège pour se tenir à ses côtés. Au moment même où le bébé atterrit sur ses genoux, Loesic retira ses lunettes et releva ses cheveux en chignon pour les fixer avec une épingle. Elle pouvait maintenant tenir son menton au creux de son épaule et m'examiner de son regard énigmatique. J'aurais voulu m'asseoir à même le plancher, poser ma tête sur sa cuisse et laisser sa main caresser mes cheveux. Je me tenais devant elle, immobile, l'esprit vide, rassérénée. Des miettes de pain partout sur la moquette bleu foncé... Les œufs refroidissaient dans nos assiettes. Une erreur... Je venais de commettre une erreur... Loesic m'enveloppait de son regard chaleureux; elle était rayonnante comme si c'était elle qui avait porté Sean pendant des mois. À l'hôpital, on avait emprisonné mes seins sous un bandage; ils les avaient écrasés contre ma cage thoracique. Cette mesure visait à empêcher la lactation. Mais, alors que je me tenais devant Loesic et Jean-Paul, le lait se mit à monter. Le corsage de ma robe était trempé et j'avais honte de les regarder dans les yeux. Loesic et moi, nous nous fixions, impuissantes à stopper cet afflux de lait maternel. Jean-Paul se pencha et cueillit le bébé sur les genoux de sa compagne. Il souleva cet amas fragile d'os et de chair, et le pressa contre son épaule. Sean agitait ses menottes. Je trempai une serviette de table dans un verre d'eau et commençai à nettoyer les taches sur le devant de ma robe. La tête de Sean ballottait sur son cou trop faible.

— Vous devez placer votre main derrière sa nuque, chuchotai-je.

— O.K.

— C'est le temps de son rot...

Aucun de nous ne connaissait ce mot dans la langue de l'autre. Je le mimai: je tapotais la silhouette d'un bébé invisible contre mon épaule. Jean-Paul tenta de faire de même avec un peu trop de vigueur.

— Comme ça? demanda-t-il.

— Un peu plus en douceur, lui répondis-je tout en continuant à nettoyer ma robe.

— Comment vais-je savoir qu'il l'a fait? fit Jean-Paul. Et il tapotait tout en tirant sa tête vers l'arrière pour vérifier les résultats de son travail.

— Vous allez l'entendre.

Cet arrangement semblait la conclusion logique, ce qui devait arriver depuis le début. Sophie grimpa sur mes genoux. Sean émit un rot sans équivoque. Loesic étendit le bras et effleura la joue de Sean de ses doigts.

— Allez-vous pouvoir lui expliquer?... Lui faire comprendre que c'est parce que vous êtes qui vous êtes que je vous l'ai confié en adoption? que je ne l'aurais jamais donné à quelqu'un d'autre?...

Jean-Paul traduisit.

— *Faites-nous confiance*, reprit Loesic.

— Qu'est-ce qu'elle a dit? demandai-je à Jean-Paul.

— Elle a dit que vous devez nous faire confiance.

Le lendemain, Jean-Paul dit:

— Je crois que nous devons penser à retourner à Paris.

C'était aussi mon opinion.

Il mettait ses chaussures. Assise sur leur lit, je songeais à ce qu'avaient éprouvé ces mères européennes qui envoyaient leurs enfants outre-mer pendant la guerre. Je savais que cet arrangement ne serait pas facile à vivre et j'envisageais ses conséquences pour moi, mais la chaleur et l'amour sur leur visage, quand ils le langeaient, me rassuraient. D'autre part, la façon dont j'avais disposé du petit-fils de mes propres parents m'angoissait.

Soudain, Jean-Paul s'exclama en se levant:

— Mon Dieu, qu'est-ce qu'on va dire à l'Immigration? Sean n'est pas sur le passeport de Loesic, ni sur le mien.

— J'avais prévu une situation de ce genre, Jean-Paul. J'ai laissé le nom du père en blanc sur le certificat de naissance. Qu'est-ce que tu en penses, Loesic? *Est-ce que tu permettras à ton mari d'être le père de notre fils?*

— *Absolument.*

Nous avons décidé que Loesic emmènerait les enfants à Hyde Park. Jean-Paul et moi allions nous rendre au bureau d'enregistrement. J'avais le cœur lourd: je n'allais pas seulement voir Sean disparaître de ma vie, mais également les Richter.

— Allons-y, dis-je. Finissons-en.

Nous nous tenions sur le seuil, prêts à partir, lorsque surgit Niki. Nous ne l'avions pas vue tellement au cours des derniers jours. Peut-être restait-elle à distance de façon délibérée. J'avais entendu Loesic lui parler au téléphone tôt ce matin-là. Elle était gaie, distribuait les félicitations. *Bonjour!* Et des embrassades à n'en plus finir... J'ai toujours pensé que ces embrassades constituaient une façon de marquer un temps d'arrêt avant d'établir un véritable contact avec quelqu'un. Son entrain m'irritait.

Je me rendis à la cuisine et, mon manteau sur le dos, me mis à laver la vaisselle. J'étais sur le bord de la crise de nerfs. J'entrechoquais bruyamment les plats. Niki rayonnait en déclarant que le bébé était de plus en plus beau. Elle me demanda si je le trouvais changé. Elle agissait comme s'il appartenait déjà aux Richter, comme s'il était aussi un peu à elle... Je rangeai un plat dans l'armoire et m'efforçai de me calmer. Tout n'était pas terminé. Des démarches restaient à faire. Je pris conscience que Niki faisait, en quelque sorte, partie de leur famille. Niki, Loesic, Jean-Paul et Sean formeraient un ensemble dont j'étais exclue.

Je me sentis abandonnée comme jamais dans ma vie. Mais n'était-ce pas ce que j'avais voulu? N'était-ce pas mieux que je disparaisse de leur décor maintenant? Pendant que je finissais d'essuyer les assiettes, je songeais à ma mère. À l'adolescence, quand j'amenais des amis à la maison, elle insistait pour que nous sortions et fassions ce que nous avions planifié pour la soirée, plutôt que de lui donner un coup de main à la vaisselle.

Elle souhaitait nous laisser toute latitude pour créer des liens.

Je posai ma main sur le comptoir pour retrouver mon équilibre. Puis je me dirigeai vers la penderie. Loesic m'y attendait.

— *Tu es certaine, Kathleen?*

— *Oui,* Loesic. Je n'ai aucun doute.

J'étais bourrée de doutes, mais je n'allais pas le faire savoir.

Jean-Paul et moi sommes montés dans un taxi, sur Quennsway. Je me suis penchée vers l'avant pour donner l'adresse du bureau d'enregistrement de Paddington. Puis je m'adossai. Jean-Paul m'apparut soudain un homme séduisant dans son imperméable. Il me regardait bizarrement. Peut-être pensait-il la même chose à mon sujet? Je détournai la tête. Il allait être le père de Sean; il ne devait pas exister de malentendu entre nous. J'imaginais mon père, quelle serait son attitude s'il était ici et au courant de la situation. Lorsque j'étais enfant et que j'avais de la peine ou qu'une situation me mettait dans tous mes états, il avait l'habitude de jouer la carte du déni. Il tentait de me convaincre que le problème n'existait pas, n'était qu'une pure invention de mon

imagination, une façon fausse de percevoir les choses...
Il me disait: «Cesse de pleurer ou je te donnerai une bonne raison de le faire.» Ses colères m'effrayaient, mais je l'aimais et le respectais. Je regardai Jean-Paul de nouveau et j'imaginai Loesic sous les arbres avec les enfants à Hyde Park, et je sus de façon intime que Sean ne pourrait être plus heureux avec d'autres personnes que ces deux-là. Je devais m'en tenir à ça.

— Paddington, s'enquit-il. Comme le petit *nounours*. Qu'est-ce que c'est exactement: un ours? Dans un manteau bleu? *Sans pantalon...*

— *En plein ça.*

En d'autres circonstances, ce couple et moi aurions pu cultiver une longue amitié.

Au bureau d'enregistrement, nous nous sommes installés sur un banc de bois dur, dans une pièce dont les murs disparaissaient sous les boîtes débordantes de dossiers beiges. Derrière le bureau, la préposée portait des manchettes de plastique pour protéger son chemisier. Je croisai et décroisai les jambes plusieurs fois avant qu'elle me fasse signe. Je sortis un document de mon sac à main et le lui tendis.

— Voici un certificat de naissance. Je l'ai rempli il y a une semaine quand j'ai accouché d'un fils. Nous sommes ici pour une reconnaissance de paternité. Monsieur Richter voudrait que le certificat indique bien qu'il est le père...

— Aucun problème. Excusez-moi, je n'ai pas bien saisi votre nom...

— Richter. Jean-Paul Richter.

— Vous êtes le père?

— Je suis le père.

La préposée se pencha et présenta un document à Jean-Paul, qui sortit sa plume pour le signer. Heureusement ce n'était pas la préposée à l'administration qui était venue me visiter après la naissance de Sean... Elle

aurait tout de suite compris que cet homme n'était pas
du genre à s'éloigner de son fils nouveau-né plus longtemps que le temps d'un repas...

— Voilà, fit-elle, une copie pour la mère, une copie
pour le père.

Sur le trottoir, le soleil nous aveuglait.

— Où est-ce qu'on va maintenant? demanda Jean-
Paul.

— Au bureau des passeports.

Au bureau des passeports, nous montrâmes le certificat de naissance et expliquâmes que le bébé devait
rentrer en France avec son père. Ils exigèrent une photo.
Nous sommes donc retournés à l'appartement pour
aller chercher Sean. Jean-Paul décrivait à Loesic la
scène que nous venions de vivre, avec beaucoup de
détails; il décrivait les manchettes de plastique de la
préposée, ses autres vêtements... Ce manque d'élégance
le scandalisait.

Chez le photographe, Jean-Paul, suivant mes instructions, souleva Sean et le tint devant l'appareil de ses
deux mains robustes.

Le lendemain matin, nous avons préparé le départ.
Nous avions tout le nécessaire pour bébé à empaque-
ter: couches, couvertures, biberons... Sophie et moi
descendîmes leur dire au revoir. Pendant qu'ils pla-
çaient leurs bagages dans le taxi, je déposai la poussette
dans la valise arrière. Bras grands ouverts, Loesic nous
invita à les visiter à Paris aussitôt que possible. J'ignorais quand nous pourrions y aller et je me demandais si
je pourrais supporter une telle visite, mais je la serrai
dans mes bras et je promis. Je fis la bise à Jean-Paul qui
se leva de la banquette. Au coin de la rue, Loesic
m'envoya la main par la lunette arrière – un peu comme
une nouvelle mariée.

Nous grimpâmes l'escalier. Je refermai la porte de
l'appartement et m'appuyai contre elle. Chaque matin,

Loesic plaçait ses coudes sur la table, sortait une orange du plat à fruits au centre de la table et la pelait en spirale à l'aide d'un couteau. Elle l'ouvrait et en faisait une rose dont les pétales étaient les cosses détachées.

Je m'assis sur le lit que les Richter occupaient et regardai longtemps entre mes pieds avant de donner à Sophie son bol de muesli. Ensuite j'écrivis à mes parents une lettre qui allait leur briser le cœur.

2

La maison de Gresco était située sur une rue très passante. De lourds camions la longeaient et leurs embrayages faisaient un vacarme d'enfer lorsqu'ils ralentissaient au coin. La pluie fouettait les édifices ocre. Mais Sophie, qui revenait avec le lait, se détachait, silhouette lumineuse, contre les nuages sombres qui semblaient la suivre. Sa démarche souple sur cet asphalte mouillé contrastait avec le décor lugubre. Je l'attendais sur le porche.

— Alors, maman, ça va?

— Ça va. Tu veux que je t'aide?

D'un coup d'épaule, elle ouvrit la porte-moustiquaire pour me laisser entrer la première. Elle sortit une brique de crème glacée du réfrigérateur – la porte du frigo n'était plus retenue que par une penture. Avec la lame d'un couteau, elle détacha une bonne portion de la brique et la lança dans le mélangeur qui se mit à vrombir.

— Un peu de cette douceur? me demanda-t-elle.

— Avec plaisir, Sophie.

Elle versa le contenu mousseux dans des verres à bière, puis en posa un devant moi.

— Tu dois aller chercher Luke?

— Non, il a sa bicyclette.

Je reconnus sa boîte à pain en bois. Elle avait la

forme d'un cochonnet. Je l'avais achetée dans une vente de garage. Je me demandais ce qu'elle était devenue. La litière du chat dégageait une mauvaise odeur et la corbeille débordait de cendres et de mégots. À l'étage, la télévision vantait les vertus d'un fertilisant.

Gresco descendit. Une jambe de son pantalon avait été taillée dans le drapeau américain, l'autre dans celui du Royaume-Uni. Il était grand et mince, et, comme disait Sophie, il portait toujours les plus affreux vêtements qu'il pouvait trouver. Et de trop petite taille. On aurait cru que son pantalon éclaterait, et les manches de sa chemise s'arrêtaient au milieu de ses avant-bras. Il repoussa tout ce qui embarrassait la table à un des bouts, retourna une chaise et s'assit, poitrine contre le dossier. Il vida une cuillerée de poudre brune dans une chope rayée et y ajouta de la poudre blanche préalablement décantée à l'intérieur d'un bouchon renversé.

— J'ai du lait, dit Sophie.

— Je préfère ce poison-là. Et comment se porte la mère de Sophie?

— Ça va, Gresco. Et la musique?

— J'ai pas à me plaindre.

Il se tourna vers Sophie:

— Tu travailles aujourd'hui, Sophie?

Sophie travaillait à la boutique Angel, située à l'intérieur d'une librairie. On y vendait des posters et des œuvres picturales. Ça l'ennuyait, mais elle avait besoin d'argent; elle tenait à terminer son université. Elle s'assit sur une boîte de déménagement et enduisit sa rôtie de beurre végétarien.

— Je suis contente que tu sois venue, maman. Je voulais te téléphoner de toute façon. Gresco et son groupe s'en vont à Los Angeles la semaine prochaine. Ils risquent d'avoir des problèmes à la frontière. S'ils voyagent ensemble, les douaniers vont deviner qu'ils y vont pour travailler. Ils sont déjà listés dans les ordinateurs. Des deux côtés de la frontière. Au poste de Blaine et à l'autre.

— Vraiment?

— C'est comme ça. Nous avons pensé qu'ils devraient passer séparément. Si Gresco portait une casquette de base-ball, visière tournée vers l'arrière, et s'il s'enfonçait dans la banquette pour paraître moins grand, il pourrait peut-être passer pour ton fils...

— Mon fils? Celui qui était parti pour Paris en agitant sa main menue comme une feuille d'érable...

— Alors, maman, tu veux le faire?

Loesic arracha Sean de ma poitrine comme elle aurait arraché un diachylon de ma peau. Non! «Ce n'est pas ce qu'elle a fait!...»

— Ce serait vraiment gentil à vous, reprit Gresco.

— Certainement. Ça me fera plaisir.

Je me levais pour partir, lorsqu'il me tendit l'invitation.

— C'est à vous?

— Non, c'est à Sophie.

— Non, maman. Prends-la. C'est à toi d'y aller.

Sophie et moi sommes montées dans l'auto et nous roulions lentement vers le centre-ville. De l'autre côté du viaduc, le dôme de l'Exposition internationale prenait forme. Tout autour, des grues ressemblaient à des crustacés géants, munis de carapace et de pinces. Sophie tourna les yeux vers moi:

— Tu sais ce que Loesic m'a dit la dernière fois que je suis allée les visiter?

— Non, Sophie. Qu'est-ce qu'elle t'a dit?

— Elle m'a dit qu'elle aimerait bien te montrer Sean. Que tu le lui avais confié et que, maintenant qu'il avait grandi, elle aimerait bien te le faire voir.

Sophie avait déjà trop pris ce fardeau sur ses épaules, je le savais bien. Elle était la seule de la famille à l'avoir rencontré après que je l'eus confié aux bons soins des Richter. Je me devais d'y aller, ne serait-ce que pour la soulager. Mais je n'étais pas certaine que ce soit là une raison suffisante. Peut-être l'était-ce?...

Sophie était âgée de huit ans lorsque je lui avais raconté pour son frère: l'adoption et son arrivée en France... Elle prenait son bain. Le shampooing retenait ses cheveux sur le dessus de sa tête, tel un pic de meringue. «Voilà, tu es madame Cornichon.» Ma propre mère avait joué à ce jeu avec moi; elle l'avait appris de sa mère.

— Mais tu ne peux aller à l'école dans cet état. Le rinçage maintenant. Pose cette serviette sur tes yeux. Vite, Sophie, fais comme je dis.

— Le savon pique...

— Pense à ce coquillage que nous avons vu à la plage, celui qui ressemblait à une tourelle...

— Non. Je ne veux pas.

Pendant des années, je lui avais raconté l'histoire d'une famille miniature qui habitait sur la plage. Ses membres portaient des souliers à bout pointu et des chapeaux avec des clochettes bleues. «Dans ce temps-là, pour Sophie la différence était minime entre les fées et les autres humains. Tous avaient la même taille. Les hommes pouvaient dormir confortablement sous un gros champignon, et les femmes, si le balancement ne les indisposait pas, étaient légères au point de dormir dans des corolles de roses.»

Elle serra les dents et refusa d'envoyer sa tête vers l'arrière. Elle se leva plutôt pour le rinçage. Des coulées savonneuses descendaient sur sa poitrine qui luisait et le long de ses jambes.

— Ça suffit, maman. Il n'y a plus de savon.

— Une fois encore.

Je l'enveloppai dans une serviette et elle s'assit sur le rebord.

— Je ne veux plus d'histoires de fées. Je veux un vrai petit frère ou une petite sœur.

— Tu le veux réellement? demandai-je en nettoyant la baignoire.

— Oui, je le veux.

Je me rendis au salon et dénichai une boîte en bois de rose sur une tablette hautement perchée. À peu près un an après leur voyage à Londres, les Richter avaient vendu Bouchauds. Ils avaient alors acheté un vieux château qu'ils avaient à l'œil depuis un bon bout de temps. Ils m'avaient envoyé des photographies. Un désastre architectural: beaucoup plus une ruine qu'une demeure. Le toit s'était affaissé au centre. Le tout avait des allures de cratère. Ils m'avaient confié que tout l'argent qu'ils avaient obtenu de la vente de Bouchauds servirait à la réfection du toit.

Ils avaient fait tirer des cartes postales des photos. La première que je reçus montrait de larges blocs de pierre qui étaient sur le point de tomber du toit. Quelques années plus tard, la seconde laissait voir une structure sombre et élégante sur laquelle des projecteurs dessinaient des ombres violettes. Puis je reçus une photo de Sean. Il portait un chandail en laine noire et il courait entre des formations rocheuses qui ressemblaient un peu à Stonehenge. Sur une autre photographie, il s'agrippait à une grille en fer forgé sur l'étroit balcon de leur appartement de Paris et tentait d'attraper des flocons de neige avec sa langue. Sur une autre, prise le jour de la Saint-Valentin, il était vêtu d'une combinaison en tissu éponge et il était bouclé dans une berceuse en bois cintré. De chaque côté, Loesic et Jean-Paul montaient la garde. Dans leurs mains, ils tenaient de gigantesques tournesols – comme des lances de tournois. Ils se retrouvaient, tous les trois, dans un cadre de carton en forme de cœur. Pendant des heures, j'examinais ces photos, tentant de m'imaginer ce que Sean avait fait avant, pendant, après... Je ne pouvais oublier ce jour, à Londres, lorsqu'ils l'avaient emmené... Je ne cessais de me sentir coupable.

Je sortis sous le porche. Sur la rive nord, les montagnes me faisaient face. Derrière la première chaîne, il y avait encore plus de montagnes, des vallées, des lacs... Et ainsi de suite jusqu'au Pôle Nord. On n'y trouvait que très peu de gens. Quelque part, au bord d'un lac, un daim s'arrêterait de boire et vous regarderait si vous deviniez son nom.

Je me retournai. L'air accusateur, enroulée dans sa serviette, Sophie me regardait.

— Ça va te surprendre, Sophie, mais à cause de quelque chose qui est arrivé il y a un bon bout de temps, tu as un frère. Il a un an de moins que toi. Il s'appelle Sean.

— Je peux jouer avec lui?

— Un de ces jours. Mais il vit en France. Il nous faudra prendre l'avion. Regarde sa photo.

Elle la prit et se promena entre les pierres du jardin, l'examinant d'un air critique.

— Il est trop petit. Je ne pourrai jamais jouer avec lui.

— La photo date de quelques années. Il est plus grand aujourd'hui.

— Ah! Ah! fit-elle, intéressée.

— J'étais seule quand il est né. Ton père avait... dû s'absenter.

«Il était une fois une femme et un homme qui voulaient un enfant. Ils avaient cherché partout. Jusque dans les corolles des orchidées sauvages...»

Combien de fois avions-nous lu *Tom Pouce* avant que je lui raconte la véritable histoire? Une fois qu'elle eut entendu la vraie histoire, elle voulut l'entendre, encore et encore...

***

Un mois après le départ des Richter, j'avais pris Loesic au mot et je m'étais rendue à Paris pour les visiter. Leur appartement était au dernier étage, à quelques pas de Pigalle. Cinq paliers à grimper. Pas d'ascenseur. Comment s'en tirait-elle avec un carrosse? Elle était venue ouvrir, s'était emparée des fruits que j'avais apportés sans même y jeter un coup d'œil, avant de tendre les bras à Sophie.

La pièce était vaste, à plafond haut. Elle servait de studio à Jean-Paul. Il se tenait derrière sa femme et bougeait les bras – comme ces enfants qui s'amusent à dessiner des anges sur la neige. Il paraissait inquiet.

— Êtes-vous venue chercher le bébé?

— Bien sûr que non, le rassura Loesic en l'agrippant par le bras d'une main ferme. Venez voir Sean, Kathleen.

Elle me conduisit dans une chambre où régnaient la paix et le silence. La chambre s'ouvrait sur un balcon étroit dont le garde-fou était en fer forgé. Les rideaux pastel laissaient filtrer une lumière ambre. Au centre, un immense berceau de bois cintré, rembourré de guingan bleu et muni d'oreillers assortis. Un dais le recouvrait. Au-dessus, des mobiles représentaient des marionnettes de bois. Sean y dormait paisiblement.

L'atmosphère reflétait les soins et l'amour qu'on lui dispensait. J'enserrai Loesic de mon bras et nous demeurâmes ainsi immobiles plusieurs minutes.

Puis je m'approchai un peu plus. La moquette épaisse étouffait le bruit de mes pas. Partout des jouets bien propres. La chambre en était pleine. Sean avait le front large de Sophie, le même espace entre les yeux qu'Andrew, sa peau, son sourire ironique, même dans son sommeil...

— *Il est beau, hein?*

Je me sentis pâlir. Loesic ne pouvait deviner ce que je pensais.

— Très beau.

Elle soutint mon regard, puis me dit qu'elle devait aller faire des courses. Nous savions, elle et moi, qu'il n'était pas question pour moi de revenir sur notre entente. Mais quand j'allai prendre place dans le living, Sophie sur les genoux, j'avais le cœur dans un étau et je priais pour que Sean ne s'éveille pas...

Le lendemain, nous nous rendîmes à Bouchauds. La vieille demeure de clayonnage bruni nous attendait le long de la rivière. J'y flânai avec plaisir, touchant les assiettes, les nappes, les fauteuils... Jean-Paul m'expliquait tout, me faisait visiter comme si j'étais une acheteuse éventuelle. À la nuit, il nous conduisit à la chandelle à travers bois, jusqu'à une petite tour où nous devions dormir, Sophie et moi. Un lieu magique, bizarre, où on retrouvait un lit baroque et de la tapisserie qui pendait sur un mur badigeonné à la chaux. Le lendemain matin, nous avons bu des cafés au lait et mangé d'épaisses beurrées. Des amis ont téléphoné et sont venus nous visiter. J'ignorais s'ils savaient qui j'étais. Dans sa robe festonnée de vert et de rose que Loesic lui avait envoyée à Londres, Sophie grimpait sans cesse dans le hamac suspendu entre deux cerisiers en fleurs où reposait Sean. Elle passait des genoux d'un visiteur aux genoux d'un autre. La gaieté semblait régner ici tous les jours – *les fêtes quotidiennes* (sic). On faisait peu de cas de moi; la barrière de la langue m'assurait une protection. Je ne pouvais saisir les subtilités de la conversation. Le chocolat se mit à bouillir sur la cuisinière. Sans réfléchir, Loesic me tendit Sean.

L'après-midi, Jean-Paul nous promena en canardière sur la rivière. Loesic et moi, comme toutes les mères, portions nos enfants sur nos genoux. L'eau reflétait violemment la lumière. Jean-Paul cessa de gauler et se mit à avironner à travers une épaisse végétation marine.

— J'avironne un canot, dit-il. Comme un Indien. Comme l'autre père, Pied Noir.

Les couleurs tremblotaient dans la chaleur. On se serait cru dans un tableau de Seurat. Le soleil aveuglait. J'aurais souhaité avoir apporté mes verres teintés.

— Il n'y a pas la moindre possibilité que cet homme soit le père, répondis-je.

Ils firent la sourde oreille. Jean-Paul continua à avironner et à sourire comme si tout ça n'avait pas eu d'importance.

De retour à Paris, nous nous rendîmes au bureau de l'avocat de Jean-Paul pour signer les papiers d'adoption. L'homme de loi me traduisait les bouts du texte qui concernait les droits parentaux.

— Tout me semble convenir. Mais j'aimerais ajouter une clause, dis-je.

Le visage de Jean-Paul vira au rouge.

— Je veux qu'il soit précisé que les Richter devront demeurer en contact postal, me tenir au courant de la santé et du développement de Sean. Je veux aussi qu'ils me tiennent informée sur ce qui leur arrive, à eux...

J'expliquai qu'il n'était pas question pour moi de venir chercher l'enfant si jamais il arrivait malheur à l'un d'entre eux ni de toucher à son *patrimoine*, mais j'aimerais à être prévenue, de façon à venir lui porter assistance. Ce fut là notre entente.

Le lendemain, nous nous tenions en cercle pour la cérémonie des adieux. Murmures, soupirs, souhaits de nous revoir bientôt. En Espagne, peut-être... Les enfants pourraient s'y baigner dans la mer turquoise. Elle ajouta que mon intuition me dirait à quel moment revenir. Elle m'affirmait qu'elle rendrait la chose facile pour Sean, qu'il ne souffrirait pas de se savoir le fils de deux mères... Mais, même si de tout mon cœur j'appelais le jour des retrouvailles, je ne voulais pas placer Sean dans cette situation: se sentir déchiré entre deux affections maternelles.

Je serais dix-huit ans sans le revoir.

Je retournai à Londres en compagnie de Sophie et je me noyai dans le travail. Elle adorait s'asseoir à sa petite table avec ses crayons à colorier. Nous travaillions ainsi tous les deux, côte à côte. Puis, après un certain temps, nous faisions une pause et nous nous rendions au parc. Je ne prenais pas le temps de m'asseoir pour manger. Je mangeais à même la poêle au-dessus de l'évier. J'avais aussi trouvé du travail à temps partiel dans des écoles: trois après-midi par semaine. Sophie se rendait alors dans une garderie. Les frais de garde étaient assez élevés; mais nous arrivions à nous débrouiller dans les circonstances. Je créais une série de tableaux sur le même thème: des bateaux de sauvetage échoués et cassés en deux sur une plage entre les herbes folles. L'idée m'en était venue un soir, à Londres. Les Richter étaient encore avec nous. J'avais sorti le berceau dans le couloir, comme un canot avant la marée haute, pour laisser Sean s'éveiller sans tirer Sophie de son sommeil.

Un jour, je venais de terminer un de ces tableaux et je me préparais à laver le carrelage de la cuisine, lorsqu'une clé tourna dans la serrure. La porte s'ouvrit et Andrew parut dans l'embrasure. Il déposa sa valise. Sophie avait appris à marcher. Elle courut vers lui et se serra contre son tronc comme elle avait l'habitude de le faire. Malgré tout ce qui s'était passé, je me sentais soulagée. Papa était de retour à la maison!...

Sophie entraîna son père dans sa chambre et elle tint mordicus à refermer la porte. Je sortis les détritus de la cuisine puis, dans la salle de bains, je plaçai le séchoir à linge, les poudres et le savon dans la baignoire et commençai à y nettoyer vigoureusement le plancher, comme si j'ignorais totalement son arrivée – une façon de m'isoler jusqu'à ce que je me sente en état de faire face à la situation.

Lorsque le carrelage reluisit à ma satisfaction, je me rendis dans la chambre de Sophie pour leur annoncer que c'était l'heure de son somme. Je la mis au lit et nous sortîmes de la chambre.

— Comment tu t'arranges à Newcastle? demandai-je.

— Ça va.

— Où as-tu l'intention de demeurer?

— Ici.

— Pas question!

— C'est aussi ma maison. Pourquoi ne serait-ce pas à toi de partir?

— T'ai-je bien entendu?...

— Tu as fait un beau gâchis. Alors...

— Ne... elle est... Nous as-tu rapporté un peu d'argent?

Je commençai à chuchoter.

— Un peu. Pourquoi?

— On en a besoin.

— Euh...

Je commençai à nettoyer des pinceaux, puis je renonçai et me retournai vers lui.

— Tu ne t'informes pas du bébé?

— J'ai entendu parler de cela.

— Je vois. Tu comprends tout, alors.

— Pourquoi je m'en préoccuperais? Il n'est pas de moi. J'ai plus le droit de demeurer dans cet appartement que toi.

— En fait, non. Absolument pas. Andrew, repris-je sur un ton conciliant, ne nous disputons pas inutilement. Essayons de négocier un arrangement pour le bien de Sophie. Je t'en supplie.

Pendant les jours qui suivirent, je m'efforçai de continuer mes activités comme avant, sachant fort bien qu'une issue se dégagerait d'elle-même si je restais tranquille. De toute façon, la situation était irrévocable. Je doutais qu'Andrew soit parti à cause de Sean. Mais je devais le pousser dans ses derniers retranchements, le prendre à sa propre logique. Pour le bien de Sophie.

J'avais peut-être commis une erreur... J'aurais peut-être dû leur demander à tous de partir, et attendre pour voir si Andrew reviendrait... J'étais convaincue – surtout depuis que j'avais revu Sean à Paris – que le bébé était de lui. Mais je ne pouvais annoncer ma certitude devant les Richter qui étaient en train de constituer une famille. Je me devais de les protéger. C'était fait. Impossible de revenir sur ma décision. Chaque fois que je regardais Andrew, je songeais à Sean dans son berceau de bois. Impression effroyable. Je ne pouvais en parler. La vérité gisait sous la surface de notre réalité comme une bombe à retardement. D'un moment à l'autre, elle pouvait exploser, faire voler en mille miettes l'apparente normalité de notre vie. Mais cette normalité devait se poursuivre et protéger Sean et les Richter.

Nous baignions dans une atmosphère fragile comme du cristal; je ne pouvais rien dire, mais il aurait fallu que je parle... C'était comme si je m'éveillais constamment d'un cauchemar, mais lorsque je me levais pour prendre un verre d'eau, les personnages qui peuplaient ce cauchemar – les Richter – étaient bien réels, installés dans le living... Non seulement Andrew ne les connaissait pas, mais il prétendait ne pas les voir. Loin de remplir le vide créé par le départ de Sean dans notre cellule familiale, la présence d'Andrew le rendait plus pénible à supporter.

Nous ne nous parlions pas. Nous vivions côte à côte comme deux zombies. Nous nous étions mis dans un beau pétrin – et en toute connaissance de cause. Nous en étions totalement responsables. Andrew ne semblait concerné en rien par mon geste, il ne paraissait même pas songer à l'adoption de Sean par les Richter. Sa façon à lui de gérer le problème était de ne pas en parler. Nous tentions tous deux de vivre comme si rien de tout ça n'avait existé. Un jour, une crevasse s'ouvrit dans le plancher de la cuisine. Elle s'élargit de plus en plus avec le temps. J'y cachai de l'argent. Le seul point positif: voir Sophie heureuse avec son père. C'était la seule raison qui me retenait dans cet appartement. Il était tendre avec elle, attentionné; mais, bientôt, il fut de plus en plus absent. Aucune surprise pour nos connaissances, lorsqu'il emménagea avec une de mes amies. J'eus tout de même mal. Pour Sophie surtout. Chaque fois que je la voyais en manque de son père, j'essayais de compenser en lui montrant plus d'affection. Mais mes efforts étaient vains. J'en étais douloureusement consciente.

Andrew allait réapparaître dans nos vies quelques années plus tard. Nous habitions à New York alors. Il téléphona et vint nous rendre visite. Il tomba dans mes bras dès que j'ouvris la porte, comme s'il avait été appuyé contre elle depuis longtemps. Il avait la même odeur de tendresse imbibée. Je m'étais remariée entretemps, et Luke était né. Andrew était très gentil avec lui. Il avait acheté une poupée Sasha pour Sophie. Il insista pour me la montrer avant de la lui remettre. Il s'était efforcé d'en trouver une avec des cheveux blonds; il ne voulait pas qu'elle ressemble trop à Sophie – Andrew et moi avions tous deux des cheveux foncés. Lorsque Sophie l'examina, de sous ses boucles blondes, il fut interloqué. Il avait l'air triste et déprimé. Il m'expliqua qu'il avait cru que les cheveux blonds de sa fille n'étaient que des cheveux de bébé et qu'ils auraient sûrement foncé en vieillissant...

***

Toutes ces années, j'avais pensé à Sean et j'avais regardé encore et encore les photos envoyées par les Richter; mais ça ne semblait jamais être le bon temps pour m'y rendre. Je m'étais convaincue que nos liens transcendaient l'espace et la nationalité. Au besoin, nous allions communiquer d'un continent à l'autre, par-delà les océans. Mais tout ça n'était que du rêve, de la rationalisation post-partum. Cette jeune femme, qui, dans des drôles de costumes, voyageait à travers l'Europe dans les années soixante, m'était presque devenue étrangère. Mais même cette jeune utopiste savait qu'on ne pouvait morceler sa vie en compartiments étanches. Le soufflé était raté: on ne pouvait revenir là-dessus.

Lorsque Sophie eut atteint l'âge de dix-huit ans et qu'elle commença à parler de voyages, certains des avantages de cette famille éclatée m'apparurent – et Dieu sait s'il y avait des désavantages: elle aurait plus d'un refuge sûr pour ses années d'insouciance et de bougeotte. Sa mère et son beau-père à New York, les Richter en France... Si Loesic était une bonne mère – et je comptais sur elle pour cela – elle y verrait les mêmes avantages pour Sean. Ma visite semblait donc tout indiquée. *Je veux être une ressource dans ta vie?* (sic)

Une occasion plus favorable ne se représenterait peut-être jamais. Il serait probablement plus facile pour Sean de me rencontrer à l'intérieur d'un événement formel comme l'accession à la majorité. Ses amis et tous ses proches seraient présents. Et il saurait que je m'étais déplacée pour lui. Ce serait certainement plus facile que s'il devait se déraciner, venir frapper à notre porte, et que nous devions tous prendre place au salon pour nous regarder en silence. Après tout, il saurait que je l'avais donné en adoption, abandonné en quelque sorte... Si tout était à recommencer, je lui écrirais une lettre et je lui expliquerais dans mes propres mots pourquoi j'avais agi ainsi, ce que je ressentais pour lui, les espoirs que j'entretenais sur sa vie... J'avais déjà entendu dire que le fait d'avoir quelque chose de concret à montrer, un document ou un objet, aidait beaucoup les parents adoptifs lorsqu'ils avouaient à un enfant qu'ils n'étaient pas ses parents naturels. Il avait tout à fait le droit d'être en colère contre moi, de se sentir floué. Mon arrivée au milieu d'une fête de famille l'empêcherait d'exprimer trop abruptement son ressentiment, le forcerait à de la retenue. Non? Sophie tenait à ce que j'y aille. Et s'il ne voulait pas me parler? Au moins j'aurais gagné de savoir un peu mieux de quoi il a l'air quand je penserais à lui. En français, le mot *invitation* est féminin. Et si j'étais Loesic et Loesic était moi – je suis Loesic; elle est moi... «Tout ceci est un mensonge, une tentative de masquer la douleur de ta perte et ta culpabilité...»

Peut-être existait-il une mince probabilité qu'il ait attaché la note au carton d'invitation et l'ait envoyée chez moi volontairement, tout en sachant fort bien que Sophie n'y vivait plus. Craignait-il qu'en m'invitant directement je ne refuse? Mais cette argumentation forcée ne passait pas le test de la réalité. L'invitation était destinée à Sophie et je le savais.

La semaine suivante, je rédigeai plusieurs versions de cette même lettre à Sean, Loesic et Jean-Paul. L'une après l'autre, je les chiffonnais et les jetais à la corbeille. Je ne pouvais me concentrer. Mais l'idée de leur écrire ne me quittait pas. Un peu comme ces poupées lestées que l'on frappe et qui reprennent toujours leur position initiale.

Un matin j'eus une distraction et mis les raisins dans les céréales granola avant d'avoir placé le récipient dans le fourneau. Ils séchèrent et Luke les cueillit un à un en disant:

— Bien, maman. Le chemin de la perfection est long et parsemé d'embûches. Au revoir.

— Au revoir Luke. Étudie bien.

— *Au revoir, Maman.* (sic) *À demain, Sean.*

Chers Jean-Paul et Loesic, j'ai devant moi votre invitation si attrayante. Sophie ne pourra pas venir. *Elle vous envoie ses regrets et ses bons baisers. Une soirée avec les dieux et déesses à Pruniers pendant la pleine lune sera mémorable à n'en point douter.* Les fées et autres habitants des forêts semblent tous en route pour cette *fête.* Vous souvenez-vous du jour où vous m'avez aspergée de la rosée qui recouvrait les lilas en fleurs?

Je sortis dans la cour arrière pour fendre la moitié d'une corde de bois d'aune. Par brassées, je transportai ensuite ce bois sous la maison. J'essayais de m'imaginer ce que serait cette fête. Comment j'offrirais à Sean *les philtres, poudres, talismans et sortilèges...* et lui transmet-trais... *les vœux étincelants et goûtez* (sic) *avec lui les étranges douceurs.* On s'aspergerait de bons souhaits. La douceur bizarre des Pruniers...

On pourrait presque dire que j'avais créé Andrew de toutes pièces. Assise sur mon lit, dans ma chambrette, pendant ma première année à l'université, je l'imaginais dans le rôle du Grand Meaulnes d'Alain-Fournier. Je pensais également à lui comme à un héros de Byron. Mon amie Mary et moi sortions la nuit en pyjama pour errer sous les rhododendrons en nous racontant des histoires qui nous faisaient pouffer d'un rire nerveux. Ce n'est que dans la vingtaine que je cessai de m'identifier à Eustacia Vye, la sombre dame de la lande de Hardy. Nous observions Andrew qui, sombre et solitaire, buvait son café – dans cette cafétéria au sous-sol, dont les fenêtres étaient au niveau du sol – et je chuchotais à l'oreille de Mary:

— Sa mère était peut-être une gitane...

— Peut-être, reprenait Mary.

Réellement, ce n'était pas différent de ces matinées du samedi où, dans l'autobus après le film, nous nous prenions pour Loretta Young. Non, nous ne prétendions pas l'être, nous *étions* Loretta Young. Nous songions au mariage et ce rêve faisait partie du même grand jeu de la prétention. Un jour vous étiez Elizabeth

Taylor dans *Father of the Bride*, puis, surtout, vous rêviez d'être une femme, une épouse au foyer. C'était cela la réussite. C'était l'accomplissement de ce rêve qui allait vous distinguer. Pas quand vous alliez obtenir votre diplôme ou dénicher votre premier emploi, mais bien quand vous alliez vous rendre chez vos parents ou leur écrire pour leur apprendre que vous aviez trouvé un mari. Alors vous deveniez une adulte.

Je remis cette décision à plus tard – aller en France, ne pas y aller?... Je descendis la 41e Avenue et passai devant ce vieux Kerrisdale Theater, où, pendant les projections du samedi après-midi, les gamins nous bombardaient à l'aide de leurs tire-pois. Et j'arrêtai chez ma mère. Elle était dans son jardin au bas d'une dénivellation, yeux fixés sur l'horizon, de l'autre côté de la rivière. Elle était alerte et élégante, comme d'habitude, et portait ces gants ornés de roses peintes que Sophie lui avait fabriqués à la boutique. Ils étaient trop beaux, selon ma mère, pour qu'on les porte autrement que pour tailler des roses. Elle voulait me montrer les nouveaux coquelicots. Il y avait aussi des lobélies et des œillets blancs. Et, un peu plus loin, elle allait couper des fleurs d'oranger. J'avais de la difficulté, ce jour-là, à m'intéresser à son jardin. Quant à elle, elle fuyait mon regard chaque fois que je parlais d'autre chose que de Sophie et Luke.

Lorsque Sophie s'était rendue à Paris pour visiter les Richter, j'avais expliqué à ma mère qu'elle allait étudier à L'Alliance Française. Je n'étais pas entrée dans les détails. Peu après la mort de mon père, nous étions installées devant le foyer, ma mère et moi, dans la salle de séjour, et elle m'avait déclaré vouloir connaître Sean avant de mourir. Elle avait sorti les pinces pour les bûches que je lui avais rapportées d'Angleterre et les avait reposées.

— Viens à l'intérieur, me dit-elle. Tu prendras bien un thé?

Je ramassai ses outils de jardinage et les replaçai dans le tonneau où on les rangeait. Un voisin en avait entouré les manches de rubans fluorescents de façon à ce qu'elle les retrouve plus facilement. La journée était torride. L'ombre de l'érable était le seul endroit où on retrouvait un peu de fraîcheur. Nous y buvions notre thé dans les chaises jaunes du patio, tout en admirant ses mufliers. Elle avait voulu que je m'installe dans la chaise longue sur le tapis qui se prolongeait à l'extérieur et d'où le point de vue était le meilleur.

— As-tu rangé avant de laisser le chalet?

— Oui. Comme toujours.

La soucoupe heurta la table comme je la déposais.

— J'ai quelque chose à vous dire. J'ai eu des nouvelles de Sean. Ils vont célébrer son accession à la majorité. Tu n'aimeras peut-être pas l'idée, mais je pense m'y rendre.

— Chez qui?

— Chez les Richter.

— Comment tu te sens?

Je posai ma tasse de thé.

— Je ne sais pas... Je ne sais pas trop. Pour des raisons qui me sont obscures, j'ai la certitude que je devrais y aller, mais... Je ne me suis jamais sentie si déchirée dans toute ma vie. Ce serait une façon de me présenter à lui. Peut-être pourrais-je même l'inviter à venir nous visiter – si les Richter sont d'accord, naturellement. Évidemment, je paierais le billet d'avion. Vous m'avez dit une fois...

— Je sais ce que j'ai dit, coupa-t-elle.

Elle se leva et se rendit à la cuisine pour revenir avec de l'eau chaude. Puis elle me dit avec gentillesse:

— J'ai tort. Je ne devrais pas m'opposer à ton instinct. À ton instinct maternel.

Elle s'efforçait de me comprendre et je lui en étais reconnaissante.

— C'est assez étrange, cette urgence soudaine de le voir. Je n'ai jamais ressenti ça auparavant.

Elle retira la ceinture de sa robe et la replia avec soin. Ses lèvres minces se refermaient sur ce qu'elle n'osait pas encore dire. Elle m'apparut fragile, dans ce matin où elle était sortie pour pratiquer des greffes dans son jardin tropical.

Elle se décida à parler.

— Je ne vois pas comment tu pourrais décemment y aller. L'invitation était pour Sophie. Cette fête, c'est en quelque sorte leur triomphe. Sean ne sera pas très heureux de t'y voir. Ni d'entendre parler de Sophie et de Luke. Tu ne les as pas donnés, eux, tu comprends?...

«Elle a raison. Je ne connais rien à leur monde ni à leur façon de vivre. Je risquerais d'y entrer comme un chien dans un jeu de quilles. Je ne dois pas laisser mes pulsions nuire à mon bon jugement. Loesic m'a pourtant souvent dit que je saurais quand le temps serait venu.»

— De toute façon, si tu décides d'y aller, j'assume une partie des coûts. Je gardais cet argent pour le voyage de Sophie l'an prochain.

Mes mains commençaient à ressembler aux siennes: mes articulations étaient de plus en plus gourdes. Je me penchai pour ranger des magazines sur la petite table. Dans le voisinage, quelqu'un extrayait des plantes de leur pot en tapotant le fond de terre avec un outil à jardinage.

— Et que vas-tu faire de Lucas? demanda-t-elle.

— La semaine prochaine, il va faire du camping. Puis il va rendre visite à son père.

— Ça tombe bien.

Elle soupira et retira quelques feuilles mortes du pot de géranium près de l'escalier.

«J'aurais dû faire davantage de vagues cet après-midi-là, dans son jardin, entre les dahlias... Je n'aurais pas dû commencer à parler, j'aurais dû dire tout de suite: "Au revoir, maman. On se téléphone." Dire...»

— À l'époque, vous savez, je croyais que si la chose avait été possible, si nous avions pu nous occuper, Jean-Paul, Loesic et moi, de Sophie et de Sean, tout aurait été pour le mieux pour les deux enfants.

«Je ne devrais pas parler ainsi. Papa et elle ont toujours fait plus que leur possible.»

— Je ne veux pas vraiment dire cela comme ça sonne.

— Pourquoi ne laisses-tu pas les choses telles qu'elles sont? Tu n'as pas l'intention de leur retirer la garde de Sean.

«Était-ce ce que j'étais en train de faire? Elle fait ressortir mes peurs. C'est une des bonnes décisions de mon existence et je ne veux pas la transformer en échec aujourd'hui...»

— Vous avez peut-être raison. Je vais y repenser.

Elle semblait satisfaite en m'accompagnant à l'auto.

Je démarrai, mais stationnai quelques rues plus loin. Chaque fois que je visitais maman, j'avais à me battre contre une curieuse impression: celle de perdre un peu de mon identité, de n'être qu'un prolongement d'elle-même. Je reconnus ce malaise, en souris ironiquement et repartis. J'avais besoin d'une autre opinion.

Une cousine éloignée, originaire de Saskatchewan, vivait à Vancouver. À Point Grey, plus exactement. Elle avait deux filles. Adoptées. Dans sa salle de séjour, s'entassaient un divan à carreaux, des tables à cartes et des pièces de l'ensemble de la salle à manger de sa grand-mère – qui n'allaient pas du tout avec le reste. Elle portait des lunettes, arborait une permanente et était mariée à mon frère. Après que je lui eus appris la raison de ma visite, elle sortit une photo de son père. On l'apercevait sur une plaine vaste des Prairies le jour de son mariage. Il avait le même sourire que Sean. Mon frère se joignit à nous. Il s'assit sur un fauteuil qui formait un ensemble avec le divan. Mon frère et moi n'avions jamais parlé de Sean. Ma famille avait considéré ma décision de le donner comme une aberration et – avec une amertume compréhensible – une folie de ma jeunesse bohème de Portebello Road, au même titre que mes boas de plumes et mes capes.

— Je pense que tu devrais y aller, me dit ma belle-sœur. Et je te dis cela en tant que mère de deux enfants adoptés.

— Si tu étais à ma place, ne te sentirais-tu pas un peu...?

— Nos situations diffèrent, dit-elle gentiment. Vous êtes demeurés en contact pendant toutes ces années. Et puis, n'était-ce pas une partie de votre entente que vous restiez en contact?

— Qui t'a dit ça?

— Ta mère.

— Tu as raison. Mais à quel titre pourrais-je bien me présenter?

— Une amie de la famille.

Soudain, j'eus un urgent besoin d'air. Je me retrouvai dans la cour arrière, assise sur la clôture de bois, les yeux rivés au sol. De toute évidence, si je retournais à l'intérieur, on devrait trouver un autre sujet de conversation. N'importe quoi d'autre. Appuyée contre la garde du porche, je signalai de nouveau ma présence pour dire au revoir.

— Ce n'est pas facile, ajoutai-je avant de partir.

— Non, mais tu trouveras bien une solution.

Ça me réconfortait que quelqu'un me fasse confiance.

«En haut, dans le grenier de la tour nord, gît une femme. Sa tête repose sur un oreiller, où repose également un jeune homme minuscule. "Sean, murmure-t-elle. O'Seany O'Shay. Tu rêves sans doute – comme si

91

nous ne rêvions pas tous. Ces brumes qui nous enser-rent, cette obscurité de larges draps blancs... Nous n'avi-ons rien projeté, rien prévu de tout ça..."»

Je fis ce rêve quelques jours avant la naissance de Sophie. J'avais donné naissance à un petit homme de six pouces qui s'était incliné et avait déclaré s'appeler Sean...

On entendit claquer la porte. Luke était de retour de l'école. Il se traîna les pieds dans l'escalier avant de s'effondrer sur une des chaises de la cuisine. Il lança son gant de base-ball sur le plancher et étendit le bras pour caresser le chien.

— Allô, bon chien.

Un silence de mort.

— Qu'est-ce qui ne va pas?

— Je me déteste.

— Pourquoi? Pourquoi dis-tu ça?

— On monte une opérette à l'école et je ne serai ni acteur ni chanteur. Je vais devoir danser!...

— Ce ne sera peut-être pas si terrible.

— Ça va être terrible!

Il se tenait, catastrophé, jambes repliées sous lui, dans ses shorts de soccer et son t-shirt trop ample. Par la porte de la cuisine, à travers le couloir, il jeta un coup d'œil dans ma chambre à coucher. Sur le lit, il aperçut mon sac à transporter mes toiles, mon bloc d'esquisses, un imperméable, quelques chemisettes, mon cardigan bleu et ma jupe de velours côtelé.

— Qu'est-ce que c'est que tout cela?

— Ça m'appartient.

— Je le sais. Mais pourquoi c'est tout sorti?

— Tu sais, cette lettre que j'ai reçue pour Sophie?...

— Ouais.

— C'est une invitation pour une fête qu'ils font pour Sean en France.

Il tourna ses yeux vers le plafond.

— Comme ça, tu y vas.

— J'y réfléchis. Sophie ne peut s'y rendre et je songe à la remplacer. Pas avant que tu sois parti pour le camp, toutefois.

— Tu devrais y aller, maman. Ça va faire plaisir à Sean. Ça va te rendre heureuse.

Il se leva d'un bond et se rendit dans sa chambre où il lança son billard électrique. Je le suivis et m'appuyai contre le cadre de la porte.

— Quelle sorte de danse veulent-ils que tu exécutes?

— Ça ressemble à du folklore.

— Oh...

Luke était encore un enfant. Il aimait le soccer, le base-ball et son chien. Il faisait la moue, tête basse, avachi contre le mur, sa langue poussant contre la paroi intérieure de sa joue. C'est ainsi qu'il se comportait quand il se concentrait sur un problème.

— Qu'est-ce qu'on va faire du chien?

— Faut vraiment y penser. Tu dois avoir hâte de revoir ton père.

— C'est certain.

Puis il me regarda.

— Qu'est-ce que tu ferais si tu savais que ton père est encore vivant?

— Je pleurerais, je crois bien.

— Vraiment?

Le téléphone sonna dans le vestibule. J'allai répondre. Un hippopotame en carton cachait le numéro sur le combiné. On pouvait y lire: «Les choses vont de mal en pis. Envoyez des chocolats, s'il vous plaît.» Tout en conversant, je le détachais avec mes ongles.

— Bonjour, maman, dit une voix au bout du fil.

— Bonjour, Sophie. Quoi de neuf?

Je repoussai du pied le chien qui dormait dans le couloir et j'étirai le fil du téléphone jusqu'à la cuisine pour jeter un coup d'œil à la courgette en miche qui cuisait dans le fourneau.

— Pour tout te dire, Gresco est arrivé à la maison avec mon cadeau d'anniversaire, un horrible téléviseur dont je déteste les couleurs hideuses... Je suis assise sur mon lit et je regarde une émission tout de même intéressante sur la dégustation des vins. L'image est d'excellente qualité, faut dire, je peux distinguer les nuances dans les couleurs de la robe des vins.

— Je ne savais pas que tu t'intéressais aux vins.

— Les vins ne m'intéressent pas. J'essaie juste de te mettre au parfum pour les couleurs du téléviseur.

— Je comprends. Tu sais, avec l'âge, mon cerveau ralentit un peu...

— Je vois... Le gars à la télé explique à quoi rime un goût fruité. Un petit vin sans prétention. Les papilles doivent réagir. Une saveur de fruit, un peu acide. Quand tu tiens le verre sous les reflets de la lumière, la robe devrait en être pâle, mais pas trop pâle... Sa couleur idéale est le doré, avec des reflets verdâtres.

— Une minute, Sophie.

Je couvris le combiné de ma main et criai à travers le passage:

— Luke, irais-tu cueillir de la laitue pour le dîner?

— Pas maintenant.

— Tout de suite!

— Est-ce qu'il est encore fasciné par un des commerciaux de la télévision? demanda Sophie. «Ne me dérange pas, je regarde un commercial!» La souffrance qui se dégage de tout cela...

— Ne ris pas de lui.

— Tu as raison. Pauvre Luke...

— Ce n'est pas facile pour lui.

— Tu me le dis: aller à un camp, faire du surf...

— Tu es allée en Europe, toi.

— Oui, mais j'avais ramassé de l'argent et j'ai assumé presque toutes mes dépenses.

— Je sais, Sophie, repris-je gentiment.

Le père de Luke avait fourni de l'argent; celui de Sophie, aucun. Elle ne le digérait pas.

— Y vas-tu, en France? Oui ou non?

— Honnêtement, je n'ai pas encore la certitude que ce soit une bonne idée. J'aimerais beaucoup. Mais je ne veux pas m'imposer. Penses-tu que je devrais y aller?

Après tout, elle était la seule à avoir séjourné chez eux. Toutefois, je regrettai immédiatement ma question. Je l'avais placée dans le rôle de la mère. J'avais fait ça trop souvent. Le prix pour la sœur aînée d'avoir une mère monoparentale.

— Je crois que tu devrais y aller. Tu sais, peu importe le moment de ta vie ou de la sienne où tu te décideras, les Richter et Sean se sentiront mal à l'aise, et toi également...

Je poussai le chien vers le rez-de-chaussée. Luke semblait enfin prêt à se rendre au potager.

— Je dois être là à l'avance. Je me demande si je serai prête à temps. Et puis, c'est la fête de Sean.

Le silence de Sophie pesait lourd.

— Écoute. Je devrai prendre un vol économique de nuit, puis le train de Douvres, puis me payer ce périple affreux vers Paris pour y arriver à l'aube, puis des autocars, le métro... À quelle station sors-tu de Paris? Pour aller où exactement?

— Poitiers. Rends-toi à Poitiers. J'ai des cartes. Tu montes dans le train à la gare d'Austerlitz et tu descends à Poitiers. De Poitiers, tu te rends au village.

— Ça semble compliqué.

— Pas vraiment.

— Si jamais je me décide, j'apporterai très peu de bagages. Le strict nécessaire. Comme si je faisais de la randonnée pédestre. Je ne veux pas traîner de lourdes valises à travers Paris.

Je devinai son sourire au bout du fil.

— Fais comme bon te semblera.

Luke avait changé d'idée. Il était remonté à l'étage et se dirigeait vers la salle de bains, laissant traîner sa main sur cette barre de soutien qui courait le long des murs de la maison, à bonne hauteur pour les enfants.

— Juste au cas où tu ne le saurais pas, murmura-t-il, je ne m'appelle plus Luke mais A. J. Springer.

— As-tu cueilli ces satanées laitues, A. J. Springer?

— Non, j'y vais.

— Choisis-les bien. Ne te contente pas d'en arracher une touffe.

Alors qu'il passait près de moi, je lui ébouriffai les cheveux. Geste qu'il n'apprécia pas. Mais il laissa la porte de la salle de bains ouverte, pour épier notre conversation téléphonique. Je me sentais déchirée: d'une part, même s'il ne le laissait pas voir, mon départ l'insécurisait; d'autre part, ce voyage remplissait Sophie d'espoir... Comme d'habitude, lorsque je donnais satisfaction à l'un, j'indisposais l'autre...

— D'accord, Sophie. Comment dis-tu «préparer un voyage difficile» en français?

— *Prévoyant. Prévoyant un voyage compliqué.*

— «À pied. J'irai à pied s'il le faut.» Je rature cette phrase. Trop dramatique.

— Non, non. Laisse-la. Il va apprécier.

— *Prévoyant un voyage compliqué...* J'apporte très peu de bagages.

— *Je ne tiens pas à être alourdie par des bagages.*

— *Et pas de bagages?*

— *Par conséquent, pas de costume.*

Luke m'appela. Il avait besoin de papier hygiénique.

— C'est ça. Loesic me prêtera sans doute un morceau de chiffon dans lequel je pourrai me draper... Une minute, Sophie.

Je sortis un rouleau de papier de l'armoire et le tendis à Luke par l'entrebâillement de la porte avant de revenir au téléphone.

— Tu sais, Loesic a des valises pleines de toutes sortes de costumes et d'accessoires. Au *grenier*.

— C'est quoi, un grenier, Sophie?

— Une pièce sous le toit. Tous les amis de Sean y dorment. Ce sont des chevaliers, en quelque sorte...

Seigneur Dieu! Qu'y avait-il d'autre qu'elle ne m'avait pas raconté? Un tas de choses, j'en étais certaine. Je raccrochai lentement. Luke ramenait enfin la laitue. Il posa la passoire à légumes sur le comptoir où je rédigeais la lettre avant de s'écraser devant le téléviseur. La passoire avait heurté ma main. De l'embrasure de la porte, je lui lançai:

— Un soir, de temps en temps, ça ne te fatiguerait pas trop de donner un coup de main pour le dîner?

Sa chambre était dans un désordre indescriptible. Mais ce n'était pas le moment d'aborder ce sujet.

— Je n'aime pas la laitue, fit-il.

— Nous ne mangerons pas que de la laitue. Nous avons du riz, des légumes...

— Maman, je n'aime pas ces trucs qu'on doit arroser de sauce soya.

— Je comprends, je vais faire aussi des hamburgers.

— Encore!

— Tu devrais être content...

Après le dîner, nous avons fait une partie de hockey avec des cuillers sur le plancher de la cuisine. Nous étions tous les deux de meilleure humeur. Nous en étions à la troisième période quand il a dit:

— Pourquoi tu as sorti toutes ces choses dans ta chambre?

— L'autre soir, il y avait un homme à la télévision qui disait que si on était sur le point de partir en voyage, la meilleure façon de s'y préparer était de faire ses valises et de jouer au touriste dans votre propre ville.

Je préparai le damier noir pour y disposer les cuillers.

— Ainsi, tu peux voir si tu apportes trop de bagages... Tiens, voilà ce qu'on va faire: je range mes affaires dans mon sac de voyage et je descends l'avenue jusqu'au bar laitier pour boire un lait malté. Tu m'accompagnes?

— Tu veux rire? Si des amis me voyaient!

— Alors, prends ta bicyclette. Nous nous rencontrerons au comptoir du bar.

— Il ne va peut-être pas aimer tout ce brouhaha que tu t'apprêtes à créer dans sa vie, maman. Je te l'assure. Je sais ce que c'est, d'être un fils...

Je passai ma main dans ses cheveux. Cette fois, il me laissa faire.

Le lendemain, je me rendis à mon bureau sur le campus. Je m'assis et fixai le mur. J'étais une simple chargée de cours, mais je jouissais tout de même d'un bureau. Qu'allais-je donc faire? Je n'avais rien décidé encore. Je m'étais limitée à courir d'une personne à l'autre pour obtenir du support, vaincre mon indécision. C'était là une façon de me disculper à l'avance des conséquences négatives que pourrait engendrer l'acceptation de l'offre de Sophie.

Seule à mon bureau, je me sentais un peu plus adulte.

On cogne à ma porte. Terry Mahler entre. Il enseignait au département de français et avait offert son aide pour raffiner les tournures de ma lettre.

— Ça a l'air de quoi en français?

— D'un texte qui a été mûri.

— Tu en es certain?

Je me levai pour regarder par-dessus son épaule.

— Je t'assure.

— Y aurait-il une façon de dire que si l'idée leur déplaît, je m'empresserai d'annuler mon voyage?

— Il y a une bonne façon de le préciser. On pourrait écrire: «*Si vous trouvez que mon idée de venir n'est pas si bonne que ça, dites-le-moi; je comprendrai et j'annulerai mon vol.»* Ils pourraient téléphoner ou envoyer un télégramme. Mais j'ai dit que si tu n'avais pas de nouvelles de leur part, tu aimerais arriver quelques jours à l'avance.

— *«N'est pas si bonne que ça?»* C'est quelque chose comme «Si vous ne trouvez pas l'idée si plaisante?»

— C'est ça.

— Je n'ai pas l'air de leur tordre les bras?

— Non, vraiment pas.

Je m'approchai de la fenêtre et regardai dans la cour. En réalité, par le seul fait d'envoyer cette lettre, je les mettais au pied du mur.

Terry s'assit sur le coin de mon bureau.

— C'est quoi, le problème? Ne penses-tu pas que c'est la chose à faire?

Je haussai les épaules. Il m'observait.

— Écoute, dit-il, cette invitation a été envoyée à dessein pour toi, pour te permettre de faire ton entrée dans la vie de Sean.

Ses yeux semblaient lointains derrière ses petites lunettes rondes, sans monture.

— Tu penses vraiment ça?

Terry ne connaissait-il pas tout de la culture française? Je me tournai vers lui, tentant de ne pas avoir l'air trop désireuse d'y aller, ne voulant pas non plus le décourager de me le conseiller...

— Regarde ça, me dit-il.

Je cherchais désespérément un signe. Dans un livre qu'il avait apporté, il me montra la photo d'une église, celle de Poitiers: l'église Notre-Dame.

— Tu devrais y aller. Cette région est renommée pour ses produits porcins. On retrouve de magnifiques fresques du début du treizième siècle dans ce village. Regarde celle-là. Elle représente le martyre de sainte Catherine, la patronne des vieilles filles. Le jour de sa fête, celles qui la vénèrent doivent se faire coiffer. Elles reçoivent leur première épingle à cheveux lorsqu'elles ont vingt-cinq ans et une deuxième à trente ans. Quand cette sainte est morte, des anges l'ont transportée sur le mont Sinaï.

— J'ai beaucoup plus de trente ans...

Il referma le livre.

— Tout va bien se passer, Kathleen. Les années n'auront pas changé tes amis.

Je pris soudain conscience que lorsque Loesic et Jean-Paul étaient venus à Londres, ils n'avaient aucune certitude de ramener Sean. Ils avaient misé sur leur instinct. Dans mon for intérieur, je sentais que j'avais quelque chose à apporter à Sean aujourd'hui – ma demeure, ma ville, mes amis... Le fils de Terry comptait parmi mes étudiants. Il avait l'âge de Sean. Terry m'enserra les épaules.

— Tu vas faire un magnifique voyage, Kathleen. J'en suis convaincu.

Mon vol partait de Seattle. Gresco n'en revenait pas de la rapidité avec laquelle nous traversâmes la frontière. En route pour l'aéroport, le mont Baker nous fit voir son grand jeu habituel: le mirage d'un paysage suspendu dans le ciel. L'autoroute longea White Rock. La montagne semblait sauter par-dessus la route pour se retrouver soudain à la droite du conducteur.

— Vous êtes canadiens tous les deux?

— En plein cela.

— Faites bon voyage.

Je redémarrai et nous contournâmes la colline, laissant derrière une filée de voitures qui attendaient pour entrer au Canada.

— Avez-vous parfois des engagements pour le travail aux États-Unis? Savez-vous comment ça se passe habituellement, pour moi, aux frontières?

— Non.

— Ça se passe très mal, très, très, très mal...

Au motel, dans la banlieue de Seattle, je fis chauffer une soupe en conserve et des côtelettes de porc. C'était mon dernier repas ici avant de le rencontrer enfin. La dernière fois que j'allais me laver les cheveux. C'étaient les dernières heures que ce continent me voyait comme celle qui ne connaissait pas Sean.

Deuxième partie

3

À bord du vol de la British Midlands Air, j'avançai ma montre à treize heures, heure de Londres. Une famille dont un des membres allait passer une année sabbatique à Oxford occupa les sièges à proximité du mien. Ils s'efforçaient de ranger leurs bagages sur la tablette au-dessus de nos têtes. Une fois les passagers bien installés, leurs écouteurs sur les oreilles, on réduisit la lumière de moitié – ce qui conféra à la cabine des allures d'hôpital. J'entendis quelqu'un froisser un journal, un autre toussa, d'autres murmurèrent. J'étais trop tendue pour lire un ouvrage. Je décidai donc de relire les cartes postales et les lettres que Sophie m'avait envoyées de France deux ans auparavant.

Chère maman,
Une brève carte du sommet de la mappemonde pour te faire savoir que je suis en route. L'Islande est quelque chose: les hôtesses ressemblent toutes à des poupées Barbie – des cheveux blonds qui surplombent des uniformes bleus. Il existe vraiment un type racial nordique très spécifique – qui n'englobe pas tous les habitants de la partie nord de l'Europe. De l'aéroport où je suis, je ne vois rien d'autre que de la neige, des véhicules de service et des avions de l'Aviation des États-Unis.

Je gagerais que tu es en train de te demander qui tu pourrais bien connaître en Islande, hein?

Je devrais descendre au Luxembourg à la tombée de la nuit. Ensuite, Paris!

Amitiés,

Sophie

P.-S.: J'ai dû dormir sur le plancher à l'aéroport John Kennedy. Seigneur...

Je repoussai mon dossier pour m'étendre; mon voisin en arrière se mit alors à cogner des genoux. Les ailerons se refermèrent. J'avais lu d'une traite toutes les lettres de Sophie à l'occasion de sa visite en France. Loesic avait envoyé également quelques cartes postales qui exprimaient à quel point ils trouvaient Sophie extraordinaire, combien je devrais me sentir fière d'avoir des enfants si merveilleux.

Chère maman,

Toute l'Europe conspire pour faire de mon voyage un cauchemar. Mon billet de classe très économique a fait que mon vol a atterri au Luxembourg, ce pays énigmatique et minuscule, alors que le dernier train pour Paris avait quitté la gare depuis longtemps. J'ai dû passer la nuit à l'Hôtel Infernal, un établissement géré par une sinistre figure à la Wolfman Jack qui portait une redingote poussiéreuse. Les brochures touristiques affirmaient que le Luxembourg est un pays trilingue. Mais Wolfman Jack ne le savait pas...

J'ai passé la nuit dans un immense lit dont la tête et le pied étaient sculptés, dans un style rococo outré. Je me sentais toute petite, paralysée par la peur. J'ai essayé en vain de faire plusieurs interurbains. À cinq heures trente, la sonnerie du réveil abrégea une mauvaise nuit. À travers les brumes sombres, j'ai marché jusqu'à la gare. Une bande de jeunes garçons, pleins d'esprit et précoces, est alors surgie de nulle part. Ils dansaient autour de moi, me harcelaient, voulaient m'arracher et transporter mes valises. Les garçons en bande sont comme les chevaux et les chiens; on doit leur montrer sans équivoque qui est le patron... Sous le quai d'embarquement, un jeune pervers à faciès de chèvre se masturbait: il frottait sa verge contre les dalles. Europe pourrie! Je me suis faufilée à travers tout ça, non sans peine... À propos, ta satanée valise bleue s'entête à s'ouvrir d'elle-même aux mauvais moments...

Lorsque j'avais lu cette lettre pour la première fois, je m'étais pelotonnée contre mes oreillers. Je souhaitais de tout cœur qu'elle n'ait pas oublié sa bombonne Mace. Je l'imaginais arpentant des couloirs d'hôtels où, dans l'entrebâillement des portes, se tenaient des hommes lubriques et dégénérés. Une proie facile... Avec angoisse, j'attendais le téléphone qui m'annoncerait son arrivée chez les Richter. Lorsque je songeais à Sophie, j'étais déchirée entre plusieurs sentiments opposés: j'étais terrorisée en imaginant tout ce qui pouvait lui arriver – comme à un agent secret trop inexpérimenté qu'on aurait envoyé en mission; je craignais qu'elle se plaise trop en Europe et qu'elle ne veuille plus revenir; ou je me demandais si sa présence n'aurait pas une influence négative sur leur vie de famille, si tout ça n'était pas trop compliqué ou trop difficile pour une jeune fille ou, encore – et c'était là mon impression la plus romantique – je me demandais si cette démarche n'allait pas reconstituer notre famille initiale...

Chère maman,

Notre train haletait à travers le nord de la France lorsque la lumière de l'aube m'a éveillée. Cette région vinicole est magnifique, même s'il est trop tôt en saison pour admirer le raisin en grappes. J'étais encore épuisée de ma lutte contre les démons du Luxembourg. Plus j'approchais de Paris et de mon frère, plus je trouvais mes jeans et mes cheveux décolorés de mauvais goût. Je suis descendue à la Gare de l'Est. J'ai traîné péniblement mes bagages sur le quai, jusqu'à la barrière – un long périple. Sean est très différent de l'image mentale que je m'en étais faite. Mais je l'ai reconnu sans peine. Un petit dandy vêtu de façon impeccable. Une allure très française, mais sans hésitation les traits d'un Haggerty. Vous vous ressemblez comme deux gouttes d'eau. Mais il a les oreilles un peu décollées de papa et sa bouche aux lèvres expressives. Il n'est pas très grand mais plutôt musclé. Son compagnon était assez beau bonhomme. Grand-père devait ressembler à Sean quand il avait dix-sept ans, même s'il n'était pas un jeune Français tiré à quatre épingles, souliers à deux tons aux pieds. Ses cheveux sont noirs et frisés...

Elle finit par m'envoyer une photo. Dans sa veste aviateur, Sean s'appuyait contre le mur d'une station de métro. Mon père à cet âge. Mais en plus mince, avec une allure typiquement française. En voyant la photo, je ressentis profondément qu'il faisait partie de moi.

Chère maman,

Ce matin, Loesic et moi sommes les seules debout – même s'il y a au moins cinquante personnages étranges dans le château; ils dorment tous. Nous sommes assises face au foyer. Elle fait une partie de solitaire et moi, je t'écris. J'ai l'impression d'avoir voyagé dans le temps et de me retrouver au Moyen Âge. Des murs de pierre m'entourent. Cette nuit, j'ai dormi dans un lit surmonté d'un dais rouge. Sur le mur d'en face, une fresque qui montrait un dragon, crête dorsale déployée. Dans la soirée, des gens sont arrivés nombreux, en grande tenue, pour fêter le nouvel an. Sean semblait entiché de tout un tas de femmes mariées d'un certain âge. Il allait de l'une à l'autre et leur faisait le baisemain.

Après un gâteau aux pommes et à la cannelle, on libéra le plancher de la grande salle et les plus jeunes firent tourner des disques. Subitement, l'idée que je n'étais pas dans le coup me heurta de plein fouet. Je suis incapable de danser sur de la musique d'électrophone sans rougir, particulièrement avec un partenaire. Personne n'aurait pu me comprendre sauf une étrange jeune fille qui faisait tapisserie. Elle s'appelle Nadine. Nous nous sommes retirées dans un coin et nous avons observé son père, un pianiste de jazz très connu, qui faisait danser toute une ribambelle de femmes. «Examine-le qui se colle à toutes ces femmes, l'entendis-je me dire. Je le déteste. C'est viscéral.» Il s'agissait d'un homme charmant au teint foncé. Il ne cessait pas de nous apporter à boire et de nous exhorter à danser.

Loesic et Jean-Paul paraissaient heureux de me voir là. Ils sont d'avis que Sean a besoin de ses racines. Et les racines, c'est moi... J'espère que je suis digne du rôle qu'on veut me faire jouer. Ça semble si important pour eux tous...

À Pâques, cette année-là, j'ai offert des présents à Sophie et à Sean – des livres. Il s'agissait du premier cadeau que j'envoyais à Sean. Et j'avais hésité longuement sur le choix du papier d'emballage avant de décider d'utiliser le même pour le frère et la sœur. Pour mon fils, j'avais acheté un album de photographies qui présentait l'ascension qu'un garçon et ses parents faisaient des Rocheuses à la fin des années trente. Des scènes de nature sauvage présentées avec un raffinement esthétique. *A Delicate Wilderness*. Pour Sophie, *The voice of Emma Sachs* de D. M. Fraser. À bicyclette, je me rendis au bureau de poste. Je ne savais pas si je devais envoyer ces présents... Peut-être Sean serait-il content de recevoir quelque chose de moi... J'avais attendu si longtemps le moment idéal pour établir le contact; je ne voulais pas m'imposer...

Lorsque Sophie revint d'Europe, elle ne souhaitait pas tellement parler de ce qu'elle avait vécu là-bas. C'était son secret. De temps en temps, elle émettait un commentaire et laissait filtrer ainsi un peu d'information.

— Sean et moi, nous nous installions sur un divan pour discuter. Il parlait anglais et je parlais français. Nous nous disputions un peu à ce sujet...

«Quelle sorte de divan? aurais-je bien voulu demander. Combien de coussins? Trois? Deux? De quoi a-t-il l'air? Parle-moi de sa démarche, de son rire... Il lui arrive de pleurer?» Mais je ne pouvais rien demander.

Ce n'était pas facile pour moi, maman, quand je suis arrivée à Pruniers. Tout le monde lançait des cris de guerre et appelait Sean Pied Noir. Il aurait été davantage orphelin, j'imagine, s'il était né hors des liens du mariage. Qu'est-ce que les Pieds Noirs ont à voir avec Los Angeles? Tu m'as déjà parlé de ce type, mais j'étais la seule à savoir la vérité. Parfois je passais des heures installée sur le lit de Sean à regarder des photos de toi et de papa. Il y a une photo de Sean que j'ai placée près d'une d'Andrew. Les deux ont été prises du même angle. Les oreilles des deux s'écartent du crâne de même façon. Je ne sais plus quoi faire. Je suis venue ici pour chercher des évidences. Si je ne peux en trouver, qui le pourra? La diplomatie est un travail solitaire. Mais c'est mon travail. Chargée de mission numéro un.

En relisant ces lettres dans l'avion, il me semblait qu'elle s'était efforcée de garder son courage pour moi. Ça m'incommodait, ces efforts de bravoures pour me protéger et arranger une situation dont elle n'était en rien responsable. Pourquoi n'en avais-je pas pris conscience avant? De chez moi, j'avais une vue très différente de la réalité: elle avait la chance de voir le monde, d'élargir ses horizons... – mais le prix à payer avait probablement été trop cher. Je m'étais représenté son voyage comme une merveilleuse aventure et je n'avais pas saisi les difficultés qu'elle avait dû vivre. Sophie pouvait traverser la forêt sans danger parce que Pruniers l'attendait à l'autre bout de la sente. Aucune importance que cet endroit se trouve à l'autre bout du monde. Sophie devait y aller parce que Sophie et moi voulions que le frère et la sœur se rencontrent; nous n'avions pas tenu compte de leur vulnérabilité. Dans les recherches publiées sur l'adoption, la notion de trou biographique intervenait lorsqu'un enfant adopté prenait brutalement conscience d'une réalité inconnue jusque-là de son histoire. Sophie et Sean n'avaient pas grandi comme frère et sœur, et soudainement on les plaçait l'un en face de l'autre: ils ne savaient comment se comporter. «Voici ton frère, voici ta sœur...» Mais qu'est-ce que ça signifie? ont-ils dû penser. Qu'est-ce que ça veut dire? Mon père était absent? Comment un frère ou une sœur peut surgir soudainement comme ça?

Au lieu de construire un univers protégé pour Sophie – tel que, je le présumais, les Richter en avaient construit un pour Sean – je l'avais projetée dans une histoire dont elle ne connaissait à peu près rien. Même si elle était dépassée par les événements, elle considérait de son devoir de redresser la situation. Je ne l'avais pas suffisamment protégée. Et son père ne s'en était occupé que de façon très sporadique. Elle avait toujours eu un minois de petite fille, mais des préoccupations d'adulte s'y reflétaient. Un de mes amis l'avait d'ailleurs surnommée la jeune-vieille. Lorsque j'avais entendu l'expression, je m'étais prise à sourire intérieurement – ce sérieux sur des traits juvéniles est ce qui rend ma fille si captivante. Cette perception de Sophie me servait également: elle avait une telle maturité que je pouvais m'appuyer sur elle. Ma solitude et mon manque d'expérience m'avaient amenée à confondre précocité et maturité.

Le vol se continuait dans les limbes des voyages intercontinentaux. Les passagers semblaient avoir été oblitérés. Ma relecture des lettres de Sophie avait miné ma confiance: j'étais moins sûre que ce voyage soit une bonne idée. Le froid régna soudain dans la cabine. Je me peletonnai contre le hublot, m'emmitouflai dans la couverture trop mince et laissai voguer mon regard sur les nuages. Ma peau était sèche. Les moteurs à turbines ronronnaient comme des ventilateurs. Le passager devant moi releva son siège et je repoussai mes bagages pour m'étirer un peu les jambes et me donner l'illusion d'un confort minimal qui me permettrait de me rendormir. Le bruit des moteurs augmenta et une éclaircie se fit dans la masse nuageuse. Je tentai de discerner les vagues – sans succès. Puis je me rendis aux toilettes. De l'autre côté de l'allée centrale où j'attendais, un homme s'extirpait bruyamment du sommeil. La porte des toilettes s'ouvrit et se referma. De la musique jaillit de haut-parleurs invisibles au plafond. On entendit le déclic d'une ceinture de sécurité.

Je retournai à mon siège et m'y endormit sur-le-champ. En face de moi, le père en sabbatique, qui portait une moustache étroite, et sa fille. Je rêvai que je me trouvais dans une cabine sur la côte. Les Richter étaient mes voisins. Ils avaient une fille – encore très jeune. Je leur avais donné cette enfant-là également; mais je ne savais pas pourquoi. Elle venait vers moi et je la prenais dans mes bras. Je ne voulais pas qu'elle parle seulement en français, aussi lui parlais-je uniquement en anglais. J'ignorais pourquoi je me comportais comme ça. La culpabilité d'avoir donné ainsi un second enfant m'envahissait. Peut-être n'était-ce pas trop tard? J'avais dû me priver de l'enfance de Sean; mais peut-être n'avais-je pas à me priver également de celle de cette enfant. De façon absurde, Loesic répétait: «À la manière dont elle écarte les jambes, on le voit bien: elle vient de ton bassin, pas du mien...» J'avais aussi de l'affection pour un faon qui se promenait dans leur jardin. «Je regrette, dit Loesic. Mais nous l'avons déjà invité à dîner.»

«Comment crois-tu qu'on devrait gérer ce problème?» demandai-je à Loesic. Mais ma question était trop subtile. Elle ne pouvait comprendre. Et il n'y avait personne alentour pour traduire. Quand je revins à ma cabine, le faon était maintenant dans ma propre cour. Ils avaient donc menti: ils ne l'avaient pas invité; ils ne voulaient pas me le donner, c'est tout...

«Tu en demandes trop, Kathleen», me déclarèrent-ils.

Des frites reposaient dans un plat. Si je le souhaitais, je pouvais prendre la petite fille, le faon et les frites et les emmener où bon me semblait. Mais, étant donné leur attitude, je ne pouvais pas m'y résigner...

Je m'éveillai dans l'odeur âcre de l'avion. Avoir dormi à proximité d'inconnus me rendait un peu mal à l'aise. Les passagers replaçaient leurs vêtements et fouillaient sous les sièges, dans leur trousse de voyage, pour y prendre une brosse à dents. Quand je revins de la salle de toilettes, le père avait passé un chandail jaune et semblait paré à entamer une conversation tout en dévorant ses œufs brouillés séchés à froid. Rouler à bicyclette sur les routes bordées de haies de la campagne anglaise, c'est ce dont il avait le plus hâte.

— Rien de plus agréable. L'endroit rêvé pour faire de la bicyclette.

Ils se sentaient chez eux à Oxford. Même s'ils ne s'y installaient jamais à demeure, la famille s'était ennuyée de ces maisons aux murs extérieurs recouverts de bois; les montagnes leur manquaient également.

— Vous vous rendez en Europe pour des vacances?

— Non. Plutôt pour des raisons familiales.

— Je vois.

Et il n'insista pas.

Je repoussai mon dossier vers l'arrière et sortis l'invitation pour en examiner les dessins. J'y aperçus quelque chose que je n'avais pas vu la première fois. Les festivités ne se présentaient plus exactement dans la même optique. Deux des femmes se tenaient en arrière-plan et elles chevauchaient des licornes. La première était plus âgée. Quelques traits pour ses larges lèvres; deux bâtons, on aurait dit des flûtes à bec, sortaient de sa bouche. L'autre femme, qui se tenait davantage en retrait, était plus jeune et jouait du violon. Je n'étais pas certaine que cette dernière me ressemblât, mais j'étais sûre d'une chose: la première représentait mon amie, Loesic Marie Richter.

L'hôtesse descendit l'allée – tournant la tête à droite, à gauche, elle vérifiait si nous avions bien attaché les ceintures de sécurité. Nous perdions de l'altitude en direction de Heathrow et les tympans me faisaient mal – pour la première fois depuis quinze ans. Nous roulions sur la piste. Chacun, debout dans l'allée, prenait ses bagages dans le filet. Par le hublot je jetai un coup d'œil sur le tarmac. Nuageux et frais. Je retrouverais probablement le même alignement de maisons tristes entre l'aéroport et la gare Victoria. Nous nous précipitions vers la sortie, comme si la porte s'était ouverte sur le vide, avec nous aspirés hors d'un tunnel. Bagages en mains et appareils photos en bandoulière, nous nous apprêtions à jouer nos rôles d'étrangers.

Je traversai Notting Hill Gate en taxi. Queensway avait l'air d'un marché du Moyen Orient. La marquise de l'épicier où nous faisions nos courses ressemblait à une tente: on pouvait lire des inscriptions en caractères arabes sur ses rabats. Des femmes en tchador prenaient place à l'arrière de limousines. On avait recouvert de panneaux les fenêtres à arche de Whiteley's, le magasin à grande surface à quelques pas de mon ancien appartement. La circulation était intense et l'air pollué par les tuyaux d'échappement. À Kensington Gardens, on retrouvait toujours la statue de ce garçon assis, jambes écartées, sur son roc bleu. Lorsque j'étais enfant, un poster de cette œuvre ornait le mur de ma chambre. À la gare Victoria, une marée de jeunes gens, sac au dos, attendaient le train de nuit. Je me demandai si les Richter avaient bien reçu ma lettre: cette pensée m'énerva. Un réceptacle de métal entourait le téléphone public. Mais, à quelques pas de la voie, cette défense contre le bruit ne faisait pas grande différence. De plus, on avait introduit de la mélasse ou je ne sais quoi dans les fentes pour la monnaie. Je ne pouvais pas entendre la préposée au bout du fil, mais j'entendais très bien, par contre, l'homme qui, derrière moi, pestait: il avait un train à prendre; je ne pouvais pas me dépêcher...

— J'essaie de faire un appel près de Poitiers en France.

— Inutile de crier, madame. Je vous mets en communication avec une standardiste à Paris, me dit l'employée du téléphone.

— Merci.

Je disposais de trois quarts d'heure avant l'arrivée

de mon train, mais je craignais de le manquer pour une question de temps. Je serrai mon bras contre mes côtes, tournai le dos à la cabine et attendis. Si j'arrivais à un mauvais moment, je pourrais voyager en Europe pendant ces trois semaines et nous pourrions nous rencontrer par après. Je me demandais ce que Sophie et Luke faisaient. J'espérais que Luke, sur sa planche à voile, tenait bien le cap en direction d'un horizon ensoleillé, et que Sophie était en train de peindre un cerf-volant en forme de poisson qui illuminerait le ciel et la ferait sourire de contentement.

— *Paris. Numéro, s'il vous plaît.*

Je me retournai rapidement mais on coupa la ligne. J'agitai en vain l'interrupteur. La hâte de voir Sean, maintenant que je m'en étais rapprochée à ce point, m'envahit telle l'eau qui déferle à la rupture d'une digue. De l'autre côté de la salle des pas perdus, une porte conduisait à l'hôtel adjacent. Si je ne réussissais pas à les joindre, je me prendrais une chambre et essaierais jusqu'à ce que j'y arrive. Le plafond du hall était très haut. Dans un coin tranquille, un téléphone semblait m'attendre. L'homme qui l'utilisait avait perdu ses chèques de voyage. Il voulait que j'entende sa conversation, je le sentais. Son regard cherchait le mien alors que j'étais appuyée au comptoir en attendant mon tour. De la main, je brossai une poussière invisible de ma jupe et je refermai mon carnet d'adresses. Aussitôt que l'appareil fut libéré, j'essayai de nouveau de rejoindre Poitiers. Cette fois, ça fonctionna!

Un homme répondit. Je n'avais aucune idée de qui ça pouvait être.

— *Allo.*

— *Allo. Je voudrais parler à Loesic, s'il vous plaît. C'est Kathleen.*

Mon interlocuteur déposa le combiné sans un mot. Il finit par revenir.

— Loesic ne peut répondre au téléphone, dit-il.

— Je vois.

— Elle fait dire qu'elle est incapable de parler anglais.

— Aucune importance. Je vais parler français.

— *Allo Kathleen?*

Je reconnus sa voix basse et calme.

— *Loesic. As-tu reçu ma lettre?*

— *Mais oui. C'est merveilleux. Viens.*

— *Tu es certaine?*

— *Absolument.*

Ce seul mot – *viens* – me pénétra le corps et l'esprit et, pour la première fois depuis qu'il avait été question de cette invitation chez Gresco et Sophie, un sentiment de paix profonde m'envahit. La lumière, dans le hall, sembla soudain plus brillante et l'horaire de mon train ne posait plus aucun problème.

Chère maman,

Il n'est pas facile de décider si tu devrais lui écrire ou non. Entre nous, nous avons évité toute cette question de paternité et de maternité. Nous faisons référence à toi comme Kathleen (ma mère? notre mère?). De toute façon, je suis ici, intégrée à une famille française. Nous vivons dans un des plus magnifiques endroits de Paris: Montmartre. Ce pinacle de blanche pureté que forme le Sacré-Cœur est flanqué, de trois côtés, des bas quartiers où règne la pornographie la plus osée. Je me sens un peu voyeuse: dans mon imperméable, j'arpente ces rues, mon polaroid au bout du bras. On y retrouve le Moulin Rouge, les Folies Bergères et une flopée de boîtes plus récentes, comme le Bunny Girls et Pornissimo. Un peu plus haut sur la colline, des prostituées font le trottoir. Elles portent des bas maillés, des minijupes léopard et de courtes capes de fourrure. Leurs têtes sont recouvertes de perruques décolorées à la tignasse abondante. Elles ont l'air de ces filles de rue que l'on voit dans les bandes dessinées. Je les suis jusqu'à l'église d'où on a une vue imprenable sur la ville qui s'étire sous les brumes.

Ce soir nous nous sommes rendus aux Catacombes. Les trois meilleurs amis de Sean sont arrivés immédiatement après le dîner, de façon à jouir au maximum du temps de préparation en groupe avant l'événement. C'était à qui utiliserait le miroir. Ils relevaient le col de leur chemise, le rabattaient; s'aspergeaient d'eau de Cologne, coiffaient leurs cheveux d'une façon, de l'autre... n'arrivaient pas à se décider sur leur look... Vers dix heures, nous sommes partis pour le Quartier Latin. D'autres amis se joignirent à nous à la station de métro Saint-Georges. Les plaisanteries fusaient de toutes parts. Puis nous nous sommes engagés dans une série de rues étroites et venteuses qui formaient un véritable labyrinthe jusqu'à une bouche d'égout. La petite place était déserte si on fait exception de quelques touristes qui flânaient. Sean a soulevé le couvercle et s'y est glissé. Je l'ai suivi. Juste en dessous, les catacombes. Jésus! Ma claustrophobie m'est tombée dessus alors que je descendais l'échelle. Mais j'ai continué: par curiosité et par peur de faire rire de moi. À mesure que nous approchions du fond, l'atmosphère devenait de plus en plus étouffante. Au bas de l'échelle, nous avons emprunté un couloir étroit. Sean marchait en tête. Il nous éclairait la voie d'une torche électrique. Nous nous sommes retrouvés dans un entrelacs de tunnels à sec qui devaient remonter au Moyen Âge. On aurait dit la tombe d'un pharaon. Des milliers de graffitis ornaient les murs.

Après plusieurs minutes dans ce labyrinthe, Sean nous a conduits à une salle assez vaste. Des piliers en supportaient la voûte. À la lueur des torches, des jeunes gens entassés buvaient et y fumaient en écoutant les cassettes de stéréos portatifs. Dans un coin, un groupe de fêtards dessinait sur les murs de pierre – un peu comme nos ancêtres sur les parois des cavernes. Je me retrouvais probablement dans la boîte la plus sélecte de Paris.

Une fois j'ai écrit à Sophie pour lui demander de quoi aurait l'air une dame du Moyen Âge en bas-relief sur son tombeau. Elle me répondit que ses mains seraient croisées sur sa poitrine et que ses yeux ne laisseraient pas voir de pupilles. Un jour, sur la plage, près de White Rock, où nous étions allés en pique-nique, Gresco nous a montré des plumes blanches qui flottaient à la surface: «Ça ressemble à une flottille», avait dit Sophie. Encore aujourd'hui – mais sous forme de plaisanterie – ma fille cherche dans le monde extérieur des objets qui lui rappellent le peuple de lilliputiens à souliers pointus et chapeaux ornés de clochettes de nos enfances, des réalités que l'on pourrait introduire dans leur monde fantastique. Le vent ouvrait des portes minuscules en soulevant l'écorce de l'arbousier. En armada, ces plumes flottaient, dressées, et ressemblaient à des voiliers; les passagers y dînaient de crêpes de mousse... Notre rituel m'en rappelait un que nous avions à l'école secondaire. Il nous fallait compter les décapotables rouges qui passaient. Une fois que vous en aviez compté cent, vous recommenciez, avec les jaunes cette fois. Puis le même manège avec les blanches. Le premier garçon que vous aperceviez après avoir compté cinquante décapotables blanches était celui que vous alliez marier. «Où en es-tu rendue avec tes décapotables?» avions-nous l'habitude de nous demander.

Sur le traversier de nuit, un garçonnet blond n'arrêtait pas de crier et de courir partout. Ses parents paraissaient s'en contreficher. Aucune importance qu'il ne soit pas le seul enfant à bord, aucune importance s'il réveillait ceux qui voulaient dormir. J'étais convaincue que les Richter avaient élevé Sean mieux que ça. Une belle femme aux traits osseux et aux cheveux fins enleva ses chaussures et se roula en boule sur la banquette pour dormir. Elle utilisait son sac à main en guise d'oreiller. Nous dormîmes toutes les deux un court laps de temps. Nos cheveux se touchaient. Soudain elle se dressa et hurla:

— Est-ce que quelqu'un va faire taire cet enfant?

Les parents du gosse l'ignorèrent complètement.

— Ces idiots croient appartenir à une sorte de noblesse... murmura-t-elle.

Son timbre de voix gela le garçon sur place. Il se serait arrêté de courir et de crier si ses parents ne lui avaient pas donné un encouragement tacite en ignorant les paroles de la dame.

— Ces maudits Scandinaves! C'est typique d'eux! Ils ne cesseront jamais de coloniser. D'abord l'Islande. Puis, maintenant, ici... Je ne puis jamais m'en défaire.

Aussi soudainement qu'elle s'était levée, elle se recoucha et sombra dans le sommeil.

Je me rendis à la cafétéria et rapportai trois prunes vertes – dont une que je conservai pour la jeune femme. Je reconnus, en passant devant la discothèque, plusieurs des jeunes gens aperçus à la gare Victoria. Ils étaient effondrés contre le mur, ainsi que leurs sacs à dos. À Dunkerque, un peu avant l'aube, alors que nous attendions le train, la femme aux traits osseux et moi, nous nous sommes installées face à face et nous avons partagé un sandwich. Elle était archéologue. Elle se rendait dans le sud de la France pour y entreprendre des fouilles. Je pris faussement la brume pour la vapeur de la locomotive.

— Si ce n'avait été de la brume, me dit ma commensale, les Allemands se seraient aperçus qu'il n'y avait aucun soldat sur la plage. La brume a réellement été un cadeau du ciel. La Luftwaffe dépensait ses munitions dans le vide.

Elle regarda tristement par la fenêtre. Les premières lueurs de l'aube teintaient l'est d'une bande verte et un ronflement métallique montait du train sur la voie d'à côté.

Enfin Paris. À moitié endormie, je me suis retrouvée dans l'air étouffant du quai de débarquement. Je ne m'attendais pas à voir Sean, mais je crus tout de même le reconnaître dans la cohue, parmi les jeunes qui se hâtaient à l'intérieur de la gare. J'avais oublié combien vaste était la gare d'Austerlitz. À mes côtés, quelqu'un dégageait une odeur d'eau de Cologne, de celle qu'on retrouve dans une bouteille citron qui porte une étiquette turquoise: j'étais de retour en Europe. Dehors, on lavait les rues. Une foreuse pneumatique retentit et des odeurs de pâtisseries fraîches provinrent des arrière-boutiques. Je déambulai jusqu'au jardin botanique à proximité de la gare et m'y installai sur un banc. Pour la première fois depuis plusieurs heures, je pouvais enfin étendre mes membres complètement dans toutes les directions. Je m'allongeai, tête sur mon sac, et observai avec joie les enfants qui jouaient dans le parc. Sean avait-il porté la même blouse? Avait-il joué dans ce parc? Je m'étendis sur le dos et plaçai un journal sur ma figure. Autour de moi, des conversations fusaient. Je ne pouvais pas suivre. Paris m'apparut soudain comme une ancienne beauté qui m'ignorait totalement.

— *Un billet pour Poitiers, s'il vous plaît.*

— *Comment?*

Le préposé à la billetterie m'avait très bien compris. Au comptoir des renseignements, on fut plus accueillant. Dix minutes avant le départ, on afficha le numéro du quai.

«Place-toi bien, maman, pour voir le tableau des départs au-dessus des voies. Tu vas te dire que jamais ils ne vont afficher le départ pour Poitiers, mais ils le feront. Et alors tu devras te précipiter.»

Je m'inquiétais de l'heure exacte de ma correspondance vers Poitiers. Je me demandais, à condition que ce ne soit pas trop loin, si je ne devrais pas prendre un taxi. *Combien pour aller jusqu'au village?* À Tours, je me rendis aux toilettes pour mettre de la poudre sur les poches sous mes yeux. De retour à mon siège, mes bagages paraissaient avoir été déménagés sur le siège qui me faisait face. Comment cela avait-il bien pu se produire? Le train s'était-il retourné? Je ne me déplace jamais dos à la direction. Lorsque nous sommes sortis de la gare, j'étais pourtant certaine de tourner le dos à Paris... Je demandai au conducteur:

— *Le prochain arrêt?*

— Poitiers.

À mon arrivée à Poitiers, j'ai téléphoné à Loesic. Elle ne semblait pas du tout surprise que j'aie réussi à faire le voyage si rapidement. Quelqu'un pourrait-il venir me prendre? Quelqu'un viendrait. Si je n'avais pas été si fatiguée, la dernière partie du périple m'aurait charmée: le train vagabondait à travers les potagers de maisons villageoises. Des piquets soutenaient des plants de tomates dont on avait arraché presque toutes les feuilles. Ce qui m'étonna. Je les laissais toujours pour éviter que des brûlures apparussent sur les fruits. De chaque côté des portes bleues des gares aux murs chaulés, on retrouvait des pots de géraniums. Après une douzaine d'arrêts, le troisième train dans lequel j'étais montée en deux jours s'arrêta enfin au village des Richter. J'attendais que la porte s'ouvre et je priais Dieu de ne pas me laisser tout bousiller.

4

Loesic s'appuyait contre la porte de la gare. Si on ne portait pas attention au fait qu'elle avait pris un peu de poids, elle n'avait changé en rien. Je courus vers elle. Elle me poussa vers l'auto comme si personne d'autre ne devait s'apercevoir de ma présence. Elle démarra en trombe. L'auto s'engagea sur la communale.

– *Ça va, Kathleen?*
– *Très bien, et toi?*
– *Très bien, très occupée, mais très bien.*
– *Et Sean?*
– *Très bien.*

Nous roulions à travers la campagne. Elle conduisait plutôt vite. Ses épaules carrées, sa cigarette au coin des lèvres qui lui faisait cligner les yeux. Toujours la même solide Loesic... Mais on apercevait des pattes-d'oie qui s'étiraient vers les tempes et ses cheveux avaient blanchi. Je jetais des coups d'œil derrière et sur les côtés de la route. J'étais nerveuse et je craignais un accident. Si cette rencontre était difficile pour elle, elle ne le démontrait pas. Mais ça devait l'être. Ça devait l'être.

En effet, quelque chose la troublait au sujet de notre fils – elle employait cette expression en français. C'était un peu comme si nous en avions parlé la veille et que nous continuions une conversation. C'est du moins le ton qu'elle employait, pour rendre les choses toutes simples, et je lui en étais reconnaissante. Ce qui la tourmentait le plus était que l'âge du service militaire approchait. Sean n'était vraiment pas le genre... J'avais oublié qu'ils ont le service obligatoire en France.

— Mais il ne faut quand même pas trop s'en faire, ajouta-t-elle.

— Il ne faut pas s'en faire?

— Non. Il veut devenir *cinéaste*.

Un quoi? Tout allait trop vite pour moi. Tout ce qui importait pour le moment était de le voir. Quand? Dans combien de minutes? À quoi pensait-il? Était-il aussi effrayé que je l'étais?

— *Un homme qui fait des films?*

— *Oui.*

— Un producteur? Un directeur?

— Un directeur.

À une intersection, Loesic ralentit à peine. Elle se contenta de regarder à droite, à gauche et de reprendre de la vitesse. Au bord de la panique, je m'accrochais au siège. Des routes étroites bordées de haies, des collines en pente douce... Des vignes, de vieilles portes au bois vermoulu encastrées dans la pierre, des maisons dans les flancs des collines... Elle retira sa cigarette d'entre ses lèvres et actionna l'embrayage.

— Parfois on ne les oblige pas à s'entraîner au combat. On leur confie d'autres tâches. Peut-être lui demandera-t-on de tourner des films de propagande, avançai-je.

Elle se mit à rire.

Comment se faisait-il que je la comprenne si facilement, elle, et pas les autres qui s'exprimaient pourtant aussi en français? Je la regardais sans la voir.

— Peut-être qu'on ne lui apprendra même pas à se servir d'un fusil. À moins qu'il ne le désire.

— Je vois.

— Et je ne crois pas qu'il le fasse. Ce n'est pas son genre.

Je me souvenais de ce qu'elle m'avait dit avant de quitter Londres. Elle expliquerait à Sean que notre arrangement est normal, que dans d'autres cultures de tels arrangements se prennent fréquemment; qu'à cause de nos lois et coutumes, il n'y avait pas de règles établies pour de telles situations dans nos sociétés. Il nous fallait donc les inventer. L'a-t-il crue? A-t-elle seulement essayé de le convaincre? Je voulais lui demander s'il y avait des choses que je devrais dire ou ne pas dire. Mais la problématique était trop complexe pour ma connaissance restreinte du français. «Observe-toi comme tu observerais une étrangère et dis à cette étrangère quoi faire, me disais-je. Ma tante, essaie, ma tante.»

Plus nous approchions, plus ma nervosité augmentait. J'étais tout près de lui dans l'espace, mais j'étais aussi loin de lui que je l'avais toujours été: nous ne nous étions pas encore rencontrés.

— *Ça va Sophie?*
— *Très bien.*
— *Et Lucas?*
— *Très bien aussi.*
— *Et ta mère?*
— *Elle va bien. C'est tout ce que je peux dire. Très bien.*

Elle souriait. Loesic avait une bonne mémoire.

Soudain, nous avons tourné dans une large allée qui, après avoir longé des structures de pierre, nous conduisit jusqu'au porche de leur résidence. Nous étions trop près pour bien apercevoir le château. Je dus m'étirer le cou pour l'observer à travers le pare-brise. On l'avait construit au flanc d'une colline. Un fossé l'entourait et il surplombait des champs en culture. La lourde double porte était logée dans une niche. Un monticule lui faisait face. Personne ne pouvait habiter un tel endroit! Trop vieux et trop éloigné de tout. À l'époque médiévale, le château représentait un petit univers en soi: habitation, chapelle, prison, bourrique de forge, donjon...

— C'est ça? Chez toi, eh?

Elle approuva de la tête. Je la regardai et me souvins soudain qu'à Londres elle m'avait avoué que son incapacité à avoir un enfant équivalait à une sentence de mort pour elle. Entre le moment où ils étaient partis de Bennington Gardens et mon arrivée à Pruniers, c'était comme si le temps avait été annihilé. Le temps s'était congelé pour moi, comme si j'avais été une de ces statues que l'on retrouve dans de tels endroits. Franchir cette porte m'apparaissait inimaginable.

Crénelés. Des créneaux ornaient le dessus des murs – comme les dents d'une citrouille d'Halloween. Le crépuscule envahissait le jour et la lune luisait au-dessus des tours dans un ciel encore clair – chair distendue autour d'une cloque sanglante. Loesic descendit et ouvrit la valise arrière. Je sortis lentement, main en visière au-dessus de mes yeux rivés aux vieux murs. J'extirpai tout de même mes bagages et Loesic prit ma main, la plaça sous son bras et me traîna littéralement jusqu'à la porte, puis le long d'un couloir jusqu'à un hall immense et sombre où mes pieds butaient contre des pierres qui ressortaient du sol. Nous longeâmes une lourde table en chêne et pénétrâmes dans une vaste cuisine au plancher recouvert de tuiles. La lumière était plutôt basse. Je pouvais apercevoir des gens un peu partout dans la pièce. Certains assis le long des murs; d'autres à une longue table; d'autres à proximité d'un foyer. Loesic me conduisit vers un groupe de jeunes gens installés sur des fauteuils en îlot, près d'une fenêtre encastrée. Comment allais-je pouvoir deviner lequel c'était? Mais déjà il s'avançait, mince silhouette, tête dodelinante, bras légèrement entrouverts et projetés vers l'avant. Il se tenait devant moi – un autre moi-même, version plus jeune et masculine. Ou plutôt c'était lui qui m'observait et apercevait une version plus âgée et féminine de lui-même qui le regardait. Sophie m'avait prévenue que nous nous ressemblions – je ne croyais pas qu'elle avait raison à ce point. Il se blottit dans mes bras. Je connaissais déjà ces dents, ce nez, ces cheveux...

Il était là. Devant moi.

— Sean, Kathleen. Kathleen, Sean, fit Loesic.

Il appuya sa joue contre la mienne. Puis se recula à bout de bras. C'était plus que je ne pouvais supporter. Le monde se mit à tourbillonner. J'avais de la difficulté à reprendre mon souffle. Je le tenais par les épaules, l'examinais sous tous les angles. Dans tout l'univers, il n'y avait que lui et moi. Une chair qui revenait vers la chair qui l'avait engendrée. La lumière jaillissait. Nous riions et pleurions. Je voulais le toucher, ne pas cesser de le toucher. Toucher ses tempes, replacer ses cheveux bruns, en vagues, plaqués sur les côtés. Ses yeux étaient noisette, comme ceux de Sophie. Un peu plus espacés toutefois. Mais aussi avides. Loesic se mit à rire quand Jean-Paul fit irruption dans la pièce. Toujours aussi bien en chair dans ses salopettes, toujours aussi extraverti:

— Kathleen! s'exclama-t-il.

Il m'entoura de ses bras. Nous étions tous là à rire et pleurer. J'avais posé ma tête sur l'épaule de Loesic et je voulais la garder là pour toujours. Je racontai que mon voyage avait été long et fatigant pour expliquer mon état émotif. «C'est ça, c'est ça», répétait Loesic.

Sean me présenta tous ses amis: Claude, Poupon, Éric... Il agrippa mes valises et nous fraya un chemin dans le couloir en ouvrant la porte de l'épaule. Sur un des murs, une tête de cerf. Nous grimpâmes un large escalier de pierre. Nous nous observions à la dérobée. Quand nous avons pris conscience que nous nous adonnions au même manège, nous nous sommes mis à rire.

Du rez-de-chaussée, Loesic et Jean-Paul nous envoyaient la main. À l'étage, il prit mon menton dans sa main, tourna ma tête dans un sens puis dans l'autre, et s'étira vers l'arrière pour bien examiner mon nez. Je plissai les paupières et versai de nouveau des larmes abondantes entre des sanglots. Rires nerveux. Puis nous pénétrâmes dans une vaste salle de banquet, munie d'un immense vestiaire. Une très grande peinture, posée là un peu comme une tapisserie, couvrait un des murs. Nous franchîmes un seuil de pierre pour entrer dans une chambre à coucher où mon œil distingua une armoire sculptée le long d'un mur blanc et un puzzle non terminé. Nous traversâmes une autre pièce, grimpâmes un autre escalier jusqu'à une autre chambre un étage plus haut. Tapisseries d'époque et modernes, candélabres, tables longues et lourdes, coffres... Tous les meubles étaient sculptés. Il alluma des chandeliers tout au long du couloir et je le suivais d'un coude à l'autre alors que nous passions devant des pièces inutilisées ou oubliées. Sous les toits, dans une chambre où il m'a introduite, sur un mannequin, encore à l'état d'ébauche, une robe en dentelle avec des volants de papier argent. Il referma doucement la porte et mit son doigt sur ses lèvres pour m'intimer de garder le silence.

— Viens-tu souvent ici? murmurai-je.

– *Oui. Pâques, Nöel* (sic), *tout l'été.*

— Tout l'été? Chaque année?

– *Oui.*

— Tu es chanceux.

Il ouvrit une porte et nous grimpâmes une dernière volée de marches vers le grenier. Il voulait me montrer les tours de l'intérieur. Nous continuions à nous examiner tout en conversant et en déambulant dans une pièce dont la superficie égalait celle de la moitié d'un terrain de soccer. Derrière l'escalier, des rideaux blancs de mousseline cachaient une plate-forme. Des matelas s'alignaient en rangées sur le sol. Entre eux, des partitions plus nettes. Quatre tourettes faisaient face aux quatre points cardinaux. À l'étage au-dessous, la tour ressemblait à un mini-château en soi – pièce d'un jeu d'échecs. Dans un des murs, s'ouvrait un immense foyer sculpté. Face au lit, une fresque présentait des lions et des fleurs de lys. Les pierres des murs avaient été marquées par le temps et ruisselaient d'humidité. Ces murs étaient si épais que les rebords des fenêtres formaient de profondes tablettes. Sean n'était pas aussi grand que je l'aurais cru. J'étais habituée aux odeurs et à la texture des peaux de Sophie et de Luke – je les avais touchés et caressés si souvent. J'aurais dû connaître les mêmes particularités du corps de Sean, mais il avait grandi hors de la portée de mes sens, nos environnements physiques n'avaient jamais coïncidé. Il ne paraissait pas intimidé, mais sûr de lui et heureux de me montrer toutes ces choses. Une partie de mon être s'éveillait, une partie dont je n'avais pas soupçonné l'existence.

Nous atteignîmes enfin sa chambre. Il déposa mes valises sur le même lit à baldaquin dans lequel j'avais dormi à Bouchauds en 1966. Il se mit à défaire mes bagages. Cherchait-il un présent? Je lui avais effectivement apporté quelque chose: un vêtement de satin vert et un album de photos de notre famille – mais il trouva ce qu'il cherchait: le miroir de ma trousse de maquillage. Il sortit un tube de mascara, le décapsula pour examiner le produit et le remit en place. Puis il sortit un tube de rouge à lèvres, l'ouvrit et le remit en place. Finalement, il referma la trousse, referma la valise qui la contenait et, d'un geste large, me désigna la chambre.

— *C'est ma chambre. C'est ta chambre.*
— Tu es certain? Où vas-tu dormir?
— *Dans le grenier. Avec mes amis.*
— Et ça te convient?
— Plus que tu ne le penses.

129

Il s'avança vers une fenêtre et se tint dans l'embrasure. Il contemplait un champ situé entre le château et des bâtiments extérieurs. Son nez et l'arche de ses lèvres s'étiraient vers l'avant lorsqu'il se concentrait. De profil, on pouvait apercevoir les taches blanches de ses globes oculaires. Puis il tourna son regard vers la porte de la chapelle où Sophie m'avait dit qu'ils rangeaient les râteaux et la tondeuse.

De la fumée s'échappait du foyer et emplissait la pièce. Mes yeux piquaient et s'embuaient. Il se retourna et me regarda droit dans les yeux:

— Pourquoi n'êtes-vous pas venue avant, Kathleen?

— Je voulais venir, Sean. Je l'ai désiré si souvent. Mais je n'osais pas. Je craignais de te perturber en t'apprenant qu'en fait tu avais deux mères.

Je ne sais trop comment tout ça était sorti en français, mais c'était dit: c'était tout ce qui comptait.

— J'ai attendu ce jour pendant dix-huit ans, Sean.

Il semblait à la fois embarrassé et content. Quant à moi, je m'efforçais d'apparaître calme, pragmatique et attentive. J'aurais voulu le rassurer mais je ne savais pas comment m'y prendre. Il n'avait aucune raison de me faire confiance. Tout ce que je pouvais faire était de rester assise là sans bouger, à m'inquiéter de ce que Loesic et Jean-Paul penseraient de notre absence prolongée.

— Je descends, Kathleen, m'avisa-t-il dans les deux langues – en français d'abord.

— *Oui.*

La joie m'avait quittée avec lui. Je ne savais plus que faire. Comme dans mes rêves où les enfants n'avaient pas de jambes, ni de bras et où l'on me ramenait, le bas-ventre vidé, dans une chambre de réveil... Toute existence embryonnaire extirpée de mon être...

Aussi bien défaire mes bagages. Où était-il allé? Que faisait-il? Je le savais: j'allais vouloir m'accrocher à ses basques – ne pas le perdre de vue. Mais je ne devais pas agir sous le coup de l'impulsion, je ne devais pas hâter les choses. Comme on me le répétait pendant que je le mettais au monde: «Ne poussez pas maintenant. Pas encore.» Un genre de cloître, cette chambre. J'étendis mes affaires sur le lit. Une jupe, un t-shirt, un cardigan, un pantalon... À peu près tout. J'aurais dû apporter davantage de vêtements. Je pliai et repliai compulsivement mon t-shirt. Même une feuille de papier ne peut être pliée que huit fois. Je bondis vers la porte; mais je stoppai mon élan. Il était accueillant, gentil. Je l'aimais. J'ouvris la porte de l'armoire. Une chemise en coton rose pour homme y était suspendue. Elle devait lui appartenir. Une belle pièce de vêtement. Je la serrai contre ma poitrine, puis y pressai mes joues. Je la remis en place et revins devant la fresque. Je voulais savoir quel fixatif on avait utilisé. Des couches de laque, il semblait. Imaginez, dormir dans une chambre qu'orne une fresque peinte avant la naissance de Shakespeare! *Nom d'une pipe!* La banquette près de la fenêtre avait besoin de quelques coussins. Que faisait-il en bas? Ses amis l'avaient-ils confiné à un coin d'une arène et avaient-ils placé une serviette sur ses épaules? Suffisamment de temps avait-il passé pour qu'ils aient eu le loisir de se regrouper? Près de la fenêtre, se trouvait un chevalet. Il supportait un carton à dessins qui contenait des gravures. J'y musardai. Une eau-forte attira mon attention. Les branches d'un cerisier de Bouchauds? Peut-être. J'avais mis tellement d'énergie à me rendre jusqu'à Pruniers et maintenant je n'avais plus qu'à attendre. Je tuais le temps en promenant mes doigts sur le dossier sculpté d'une chaise, en tambourinant des doigts sur les bras. «Qu'as-tu donc fait de Kathleen, Sean?» «*Elle est fatiguée. Elle est très fatiguée. Elle s'est couchée.*» «Vraiment?» «*Oui.*» «Un interlude diplomatique.» «*Je descends aussi.*» «Vous descendez également?» «Dans une minute, oui.»

Quand je pénétrai dans la cuisine, le silence s'installa. Je le cherchai. Il n'était pas là. Je pris panique. J'avais dû commettre une faute irréparable. J'étais trop fatiguée pour parler l'anglais – et le français on n'y pensait pas. Mais je m'obstinai en vain à articuler ma pensée jusqu'à ce que Loesic me suggère gentiment d'aller prendre du repos. Il y avait beaucoup de monde autour du foyer. Mais où était donc passé Sean? Au théâtre, en compagnie des autres participants à la mascarade? Je fouillai les recoins, mais ne pus le dénicher. Au salon une dame chantait et rechantait sans cesse la même phrase d'une chanson en anglais: «...le bateau est au port. Et je ne peux payer le loyer...» Elle répétait pour la fête? Je me demandais ce qu'il était advenu de Niki. Ah! ces années soixante! Ridicules et mystiques années soixante! «Tout ça devait arriver, Kathleen.» Bien voyons...

Je le découvris un peu plus tard à l'intérieur du théâtre. Jean-Paul et lui grimpaient et redescendaient des échelles pour suspendre des tas de cylindres peints en mousse pressée – sur chacun, une main gantée tenait un bâton au bout duquel brillait une figure solaire, entourée de points. Je n'ai pas signalé ma présence. J'étais bien consciente que la seule chose à faire était d'aller au lit. J'étais trop épuisée pour dormir. Je demeurai étendue, les yeux rivés aux motifs dorés du dais. Depuis qu'il était un garçonnet, il avait dû admirer les mêmes motifs des milliers de fois. «Allez dors, me répétais-je. Il sera encore là demain matin.»

Murmures des femmes de Pruniers dans la pièce adjacente. Dans un vase, des roses trempées dans la dorure. Broderies or sur l'oreiller. Odeur de pain grillé. La lumière du soleil matinal s'immisçait par de minces ouvertures dans les murs – pour la ventilation, supposai-je. Mais Sophie m'expliquerait plus tard qu'il s'agit en fait de meurtrières: on les utilisait pour transpercer de flèches les assaillants. «Heureusement, dit-elle, leur étroitesse empêchait les traits de l'extérieur de pénétrer.»

— La tunique turque avec des broderies d'or, entendais-je de l'autre côté. Elle pourrait coudre des élastiques autour des chevilles.

— Sait-elle coudre?

— Que si...

Je sombrai de nouveau dans le sommeil pour m'éveiller un peu plus tard. L'odeur des tomates et du basilic chatouillait mes narines. Sur le terrain de soccer, des hommes criaient. À la poignée de porte de la penderie, un vêtement turc en chiffon turquoise, au pantalon ample et à la veste ornée de broderies, était suspendu. L'élastique du pantalon avait été enroulé autour du bouton. Je voulais me lever sur-le-champ. Le voir le plus tôt possible.

Des globes de loge au théâtre entouraient le miroir de la coiffeuse de la salle de bains. Une extrémité d'une planche à repasser reposait sur le lavabo, l'autre sur le rebord de la baignoire. Une femme courtaude à double menton, à lèvres en bouton de rose et à cheveux platine – qui semblaient plus doux et plus juvéniles que sa peau – y fabriquait des fleurs de papier. Elle portait une de ces coiffures médiévales de type papillon, qui maintient vos cheveux relevés dans un filet. Un personnage de roman a déjà attrapé un mal de tête à porter une telle coiffure. Je me souviens qu'on lui avait conseillé de se débarrasser de cet échafaudage et qu'aussitôt fait, son mal de tête avait disparu. Son sourire la rajeunissait. Ses yeux bleu clair brillaient. Elle se présenta: Marie-Claire, la meilleure amie de Loesic. Hier soir, alors qu'on me présentait tout le monde, Loesic avait son bras autour de ses épaules et l'appelait «ma sœur». Sophie m'avait raconté dans une de ses lettres: «À la soirée du nouvel an, Loesic m'a présentée comme sa fille et les gens nous regardaient en hochant la tête. Ils nous trouvaient des ressemblances de famille.» Je lui souris avec hésitation. Elle me sourit également, mais continua son travail. Je partis à la recherche d'un autre lieu d'aisances.

Sur le rebord des fenêtres, sur des bureaux, des tas de paillettes métalliques et des pots de cosmétiques. Des paniers débordants de fleurs en papier et de chiffons reposaient sur une commode. *Y aurait-il peut-être un morceau de tissu que je pourrai* (sic) *draper autour de ma personne?* Je déambulais, pieds nus, trousse à maquillage au bout du bras. Des coffres et des penderies regorgeaient de costumes. Des pyjamas de satin, des kimonos, combinaison à carreaux d'arlequin. Encore davantage de *morceaux de tissu*. Dans une salle d'essayage, au bout d'un autre couloir, je rencontrai Loesic qui empilait des rosettes et des serpentins dorés.

— *Merci pour le costume, Loesic. C'est très beau,* lui déclarai-je, un peu hésitante.

— *De rien, chérie.*

Elle m'étreignit contre sa poitrine et posa un baiser sur chacune de mes joues. C'était étrange de s'embrasser ainsi au matin, la vessie encore pleine et les dents pas encore brossées... Je lui demandai où je pourrais trouver la salle de bains. Elle pointa du doigt un escalier qui conduisait un étage plus haut. Quelqu'un était déjà dans la douche. Je m'assis sur le parquet près d'un autre vieux coffre ouvert, à proximité d'une fenêtre à vantail, débordant de taffetas bleu. De la fenêtre, on avait une vue magnifique sur la cour. J'eus soudain la surprise d'y apercevoir Sean qui sifflait et poussait une brouette pleine de jarres de verre. Une de ses épaules était un peu en retrait de l'autre. Il apparaissait encore plus gracile que la veille. Je l'observais sans qu'il le sût et j'essayais de me rappeler laquelle de ses épaules avait jailli de moi la première lors de l'accouchement. Il se penchait et j'essayais de bouger mes propres épaules de l'avant vers l'arrière, à son rythme.

Il s'arrêta devant un tas de sable, à côté de la porte de la chapelle, saisit une petite pelle et se mit à emplir les jarres. Il s'y prenait d'une étrange façon, inefficace aussi; le poignet lâche, il manœuvrait la pelle à la seule force de son coude au lieu de solliciter tout son bras. Lorsqu'il était préoccupé, le bout de ses lèvres et de son nez semblait se rétracter. Était-ce ainsi pour moi? J'étais là-haut, penchée, les bras étendus sur le rebord de la fenêtre, et je l'observais tout en me cherchant une place pour m'asseoir. Mais je tombai sur une espèce de brouette d'autrefois. Une voiturette d'enfant. Il est vrai que les gens de cette époque étaient beaucoup plus petits... Les femmes avaient un teint d'albâtre et de minces sourcils. Pas de cils, simplement des paupières sombres et le front haut. Leurs coiffures étaient savantes, leurs voiles tombaient gracieusement de leurs chapeaux coniques, et les corsages ceinturés, plats, formaient un grand V jusqu'au bas du ventre. Au fond du couloir, une silhouette actionnait un rouet tout en jetant un œil par-dessus son épaule. Une écharpe blanche, qui gardait sa coiffe en place, flottait dans son dos. La femme tenait, tel un balai, une quenouille sous son bras, la dévidait délicatement, entre son pouce et son petit doigt, pour former un long fil d'araignée sur son tablier...

Une lettre de Sophie me revint en mémoire:

> Chère maman,
> Aujourd'hui, j'ai passé de longues heures assise dans chacune des tours, les bras autour de mes genoux. Les toits pesaient sur mon crâne comme des chapeaux de plomb. Mon regard courait dans toutes les directions: rien ne pouvait me faire penser que je n'étais pas au Moyen Âge...

Pelle adéquate ou non, technique efficace ou non, Sean vint à bout de son travail en peu de temps. Il déposa son outil, se couvrit la figure de ses mains, puis fit des efforts pour vomir. «Mon Dieu! Qu'est-ce qui se passe? Il est malade?» Je me redressai. Rien ne sortait. À ce moment, la porte de la salle de bains s'ouvrit et Jean-Paul émergea de la vapeur en sifflant, une serviette autour des reins.

— Jean-Paul, qu'est-ce qui ne marche pas avec Sean?
Et je le tirai vers la fenêtre.

— Tout va très bien.

Il me regardait, étonné. Il ne semblait savoir en rien à quoi je faisais allusion. Je regardai à nouveau dans la direction de mon fils. Il était retourné au travail comme si de rien n'était.

Jean-Paul mit ses lunettes. Son visage montrait plus de rides. Son teint rougeâtre pouvait représenter un symptôme d'hypertension. Il se tenait immobile et contemplait son fils.

— *Il est très beau, hein?*

— Pas l'ombre d'un doute.

— Maintenant que tu le vois de tes yeux, Kathleen, qui d'après toi en serait le père?

— De quelle paternité veux-tu parler? Pourquoi veux-tu savoir?

Ma réponse ne parut pas l'ennuyer. Simple curiosité de sa part.

— Es-tu sûre qu'il va bien?

— Évidemment...

— *Andrew, bien sûr.*

— En es-tu si certaine?

— À cent pour cent.

— Nous croyions que c'était le Pied Noir.
Il semblait déçu.

— Non!

Il ne se souvenait donc pas? Sur la rivière, à

Bouchauds? Ces souvenirs avaient probablement moins d'importance pour eux que pour moi. Ils ne m'avaient donc pas écoutée? J'avais essayé d'être claire, pourtant. Peut-être ne voulaient-ils pas entendre?

Sean repartit, poussant la brouette.

— Je vous l'ai dit, qui était le père, quand Sean avait quelques mois à peine. Tu te souviens quand je suis venue à Bouchauds. À l'époque où on a signé les papiers. Nous étions sur la rivière...

— On a toujours cru que c'était cet Amérindien.

— Bien non.

On avait aligné des bustes de porcelaine blanche sur un des murs de la salle de bains. Ils semblaient m'observer, m'accuser. Sur la tablette de la chasse d'eau, des boîtes d'où sortaient des mouchoirs de papier roses. Il n'y avait plus d'eau chaude pour la douche. Je dus me contenter d'un bain à l'aide d'une éponge imbibée d'eau tiède. Je fis de mon mieux pour me présenter sous mon meilleur jour. Je redressai ma jupe de la main et je me rendis à la cuisine où on s'apprêtait à déjeuner. Je n'y aperçus pas Sean. On avait préparé pour moi et placé près du foyer un bol de café et du pain grillé. Je m'y assis. J'étais parfaitement consciente d'être l'étrangère: je devais m'habituer aux coutumes du lieu et laisser le temps aux autres de s'habituer à moi.

Le déjeuner à la longue table avait été préparé au moins pour trente personnes. Des caisses de céleri, de courgettes et de poires encombraient le comptoir. Sur le buffet, dans un bol immense, une montagne de salade de pommes de terre. Dans une des chambres, derrière la cuisine, des piles de gâteaux et de tartes. Un homme mince, au visage pâle, attachait un tablier par-dessus ses jeans. Il cassa une demi-douzaine d'œufs et se mit à en battre le blanc. Loesic posa la main sur son bras et, souriante, elle se pencha pour juger de son travail.

— Moins riche que la dernière fois, Gilbert.

Les invités participaient à créer la fête à laquelle ils avaient été conviés.

Le fourneau était presque au niveau du plancher. La température de la pièce était assez fraîche. J'étais sur le point de me lever pour quérir un coussin lorsque je sentis une hanche recouverte de velours noir me frôler. Loesic s'assit près de moi et cala son dos contre les pierres. Elle repoussa mes cheveux derrière mes oreilles et nos regards se croisèrent au-dessus du rebord de mon bol.

— *Je suis contente que tu sois ici, Kathleen.*

Elle me regardait droit dans les yeux: elle ne disait pas cela juste pour me faire plaisir, tout compte fait.

Lorsque j'ai donné Sean en adoption à Londres, j'avais pensé que le fait qu'il vive si loin de moi, en France, qu'il soit élevé dans une langue, une culture différente, rendrait la chose plus facile pour moi. J'avais tort. Pas une journée sans que je pense à lui et qu'un vent glacial parcoure alors tous mes membres. Loesic devait bien savoir qu'il y a dix-huit ans, je n'étais peut-être pas en état de prendre une décision éclairée. Mais j'avais tout de même pris la bonne. Cela m'apparaissait évident. Je ne savais pas par où commencer avec elle. Comment les remercier, Jean-Paul et elle, pour tout ce qu'ils avaient fait. Sa figure se figea dans l'attitude bienveillante de quelqu'un qui sait comment échanger et qui souhaite aborder les sujets qui importent.

— *Sean, est-il malade ce matin?*

— *Mais non.*

— *Oui, je pense...*

Elle haussa les épaules. Elle ne paraissait pas inquiète. Son regard me signifiait que si Sean était malade, elle le saurait.

Elle se leva, se rendit à la table et revint avec une pêche dans la paume de sa main.

— *Cette pêche elle doit mûrir.* «It had to ripen.» *Je ne suis pas possessive avec Sean. Il s'appartient.* Il est temps pour lui de voler de ses propres ailes. Tu arrives juste au bon moment.

Pendant qu'elle me disait ces paroles, quelque chose la dérangea dans la préparation d'un plat. Elle se rendit à la cuisine. Une jeune femme en t-shirt Mickey Mouse pourpre remuait les ingrédients dans un bol. Elle y mit son doigt, goûta et dit simplement:

— *Un peu de sucre.*

À l'époque de l'adoption, j'avais projeté dans Loesic toutes les qualités que j'aurais aimé retrouver en moi-même. La nécessité m'obligeait alors à lui trouver toutes les vertus... Par pure chance, elle s'était avérée la personne que j'avais imaginée. Et j'étais désireuse de le penser encore, maintenant. Peu importe ce que disaient les autres, je sentais à un certain degré que j'en imposais. Mais j'étais ici.

Elle revint et posa ses mains sur mes épaules:

— Par-dessus tout, je ne t'ai jamais oubliée, ni le rôle que tu as joué dans nos vies.

Je ne pouvais rester dans mon coin. Elle brûlait de me présenter à tout le monde. Les gens prenaient place autour de la longue table. Ils riaient, se lançaient de la mie de pain et bondissaient dans les airs, comme pour gober des mouches.

— *C'est Kathleen. La mère de mon fils,* annonça-t-elle.

Des rires fusèrent. Elle était très à l'aise et mettait ses amis à l'aise. Je ne savais quoi dire. Loesic n'avait rien de la bourgeoise en elle. Ses amis non plus. Moi si. Le bizarre et le non-conventionnel ne me réjouissaient plus depuis longtemps. En découlait l'impression que j'avais un manque à combler. Le message de Loesic était clair: elle me faisait confiance; je saurais trouver les paroles et les comportements adéquats avec Sean. J'avais plus de difficulté à m'imaginer ce que Jean-Paul pensait.

Le couple prit place au bout de la table. Mais Sean était absent. Je le cherchais du regard, mais ne pouvais le trouver. Le plafond à poutres dénudées était bas et la pièce était sombre. Seules quelques fenêtres rectangulaires laissaient filtrer un peu de la lumière du jour. Loesic se leva et fit tinter une cuillère contre un verre: elle exhorta les invités à se savonner avant d'entrer dans la douche et à faire un effort particulier pour économiser l'eau. Elle nous annonça également que des paillettes, du maquillage et des coiffes étaient à notre disposition dans les salles de bains des troisième et quatrième étages. De plus, elle nous prévint que les hôtes seraient dans l'obligation de quitter leur chambre entre quatorze heures et quinze heures: les pensionnaires d'un foyer pour personnes âgées des alentours viendraient probablement effectuer une visite guidée. C'était là une façon pour Loesic et Jean-Paul de payer les frais de l'entretien, m'expliqua Gilbert, mon voisin de table qui me servait de traducteur. Les châtelains obtenaient des déductions fiscales en échange de ces visites historiques.

Sean viendrait-il pour le déjeuner? Loesic l'ignorait. Est-ce que quelqu'un lui passerait les choux-fleurs dans la sauce à la crème et à l'oignon? Apprêteraient-ils le rôti de porc, les raisins verts et sucrés, et ces excellentes pêches?

Après le déjeuner, je commençai à desservir. Quelqu'un me retira les plats des mains: on viendrait faire ce travail plus tard. Bon, très bien. Mais si je m'occupais des fleurs? En entrant, j'avais observé que l'entrée, face au grand escalier, serait l'endroit idéal pour y placer un bouquet sur une colonne. Dans une urne? Pourquoi pas?

On y trouvait déjà des fleurs, mais elles étaient fanées.

Loesic les sortit de leur vase et les déposa dans un

journal. Je me mis à les y envelopper pour les jeter, mais Loesic m'arrêta pour en retirer celles qui étaient encore belles. Elle sourit, regarda tout autour pour voir quelle serait la prochaine tâche à accomplir, et se rendit à la cuisine pour y quérir quelque chose – mais elle ne pouvait se souvenir de quoi exactement. Elle lança ses coudes vers l'arrière, inclina la tête sur un côté, plissa les lèvres et prit son élan jusqu'à la cuisine où elle attrapa une petite fille en redingote et couronnée de papier d'étain. De retour dans le hall, armée de ciseaux, elle m'entraîna à l'extérieur où nous aperçûmes Sean qui, dans le champ, entre le théâtre et le château, se dirigeait vers nous. Sans cesser de parler, Loesic lui fit signe de la main. Elle n'en fit pas plus de cas, même si Sean se tournait vers elle et souhaitait ostensiblement attirer son attention. J'aurais souhaité qu'elle lui porte un peu plus attention. Je ne voulais pas qu'il croie que Loesic se mettait en retrait à cause de ma présence. Mais peut-être étais-je trop sensible. Elle n'était probablement que très préoccupée par ses préparatifs. Sean, sans rien laisser paraître, me demanda si j'avais passé une bonne nuit.

— Très bien. Et toi?

Il me raconta qu'il avait bien dormi et qu'il allait assez bien quoi qu'il ait un peu *mal à la gorge*. Il se toucha le cou. Puis il m'expliqua que son avant-midi avait été assez chargé: les projecteurs stroboscopiques du théâtre... Pour tout déjeuner, il n'avait eu droit qu'à un sandwich au jambon en travaillant. Il me demanda si je voulais voir les projecteurs. Je hochai la tête en direction des roses trémières où Loesic m'attendait.

— Tu les verras *plus tard*, alors.

Il m'accompagna.

Il me demanda si je savais qu'on attendait des douzaines de personnes pour la fête. Qu'ils allaient tous dormir au château. Une famille arriverait même sur des chevaux de bois... Ce n'était vraiment pas le temps d'avoir mal à la gorge... Certainement pas. J'avais des pastilles pour la gorge dans mon sac à main – sac à bandoulière envoyé à Sophie par Loesic il y a des années. Il voulait bien.

— Tu devrais peut-être faire un somme, lui dis-je. *Un petit dodo?*

Il prit une pastille et fila à la maison.

Je me mordais la langue. Pourquoi avoir employé cette expression pour bébé? Trop tard, il était reparti et Loesic m'attendait.

— Il a un mal de gorge. Je lui ai donné des pastilles, dis-je.

— *Oui.*

Dans l'entrée, une petite fille, nommée Simone, mordillait la tige d'une des fleurs que nous avions laissées dans le journal. Et elle chantait quelque chose sur *la gladiola*. Loesic et moi choisîmes des fleurs de l'une et l'autre couleurs, parmi celles que nous avions cueillies. Nous nous reculions pour observer l'ensemble et juger du coup d'œil. Je brandis une tige rigide et la pointai en direction du vase. Des instruments anciens se trouvaient sur une table près de la porte.

— C'est quoi, ça? C'est pour Simone?

Elle coupa la fleur d'une tige et l'épingla sur le devant de sa robe.

— *La torture.*

— *Pardon?*

— *La torture.*

— *Ah.*

Poitrine nue et velue sous sa salopette, Jean-Paul passa devant la porte. Il poussait une brouette remplie de récipients pleins de sable. L'entrée du château – où Simone et moi montions une gerbe de fleurs – était sombre et fraîche. Par contraste, Jean-Paul semblait une apparition dans la lumière abondante du soleil. Il sortit un mouchoir et s'essuya le visage.

— Quinze ans à entretenir et à payer ce maudit château, déclara-t-il dans son anglais soigné. Et quinze autres à venir...

Il reprit les manchons et s'éloigna.

Un peu plus tard, cet après-midi-là, j'étais dans ma chambre à installer mes lentilles cornéennes lorsque Sean frappa à la porte avant de faire irruption en récitant une annonce à haute voix, comme un héraut: nous devions tous sortir de nos chambres; la visite guidée s'amenait. Je me penchai et, de la cage de l'escalier principal, j'observai de dos les hommes de la maison de repos. Ils étaient tous revêtus du même pantalon sans forme et de la même chemise bleu clair. Loesic expliquait en long et en large l'usage des instruments de torture disposés dans l'entrée. Je ne comprenais rien du français qu'elle utilisait à cette occasion. Un à un, les pensionnaires tournèrent lentement la tête dans ma direction. Loesic continuait à parler.

5

Le lendemain, au déjeuner, on passait un plat de melon, lorsque Jean-Paul déclara:

— Si ce train de maison devient trop onéreux, nous nous rendons tous au Canada chez Kathleen.

Et il émit son bon rire franc. Le melon devait accompagner le jambon. Je m'en servis deux tranches et je passai le plat à mon voisin de table. Loesic étendit le bras et retira une des tranches de mon assiette.

— Une pour chacun, fit-elle.

Le ciel me tomba sur la tête. Toute la tension des derniers jours me rattrapa. Je m'excusai et montai à ma chambre. Les enfants s'approchent si près quand ils vous parlent. Comment se sentent-ils lorsqu'ils ne vous ont jamais vue et qu'ils vous font la bise le matin? Sean avait la figure d'Andrew et aussi la figure de mon père, et mon père n'avait aucune confiance en Andrew...

Je m'assis sur le pied de mon lit. Je tremblais. On cogna à la porte. Gilbert, l'homme à la pâle figure, entra. À table, il avait eu l'amabilité de me traduire des phrases de la conversation tout en me passant les plats, comme si de rien n'était. C'est lui qui devait m'avoir répondu lorsque j'avais téléphoné de Londres.

— Je regrette d'avoir agi ainsi, lui dis-je.

— Ça va, ça va. Tout le monde comprend.

— Au dîner, il va y avoir des discours? Devrais-je dire quelque chose?

On cogna de nouveau. C'était Sean. Gilbert hésita. Rester pour traduire ou nous laisser? Il sortit. Je m'assis et sortis une chemisette d'un tiroir.

— Tu crois que ça va aller?

— Évidemment, c'est très bien.

— Je n'avais pas l'intention de créer une commotion en venant.

— T'en fais pas.

— Je ne veux pas que tu croies...

— Je comprends. Je ne crois rien.

— Tu es chez toi ici et je pense n'avoir aucun droit.

— Arrête de penser à tout ça.

Il se pencha et sa bouche se posa sur ma joue. Puis il se blottit dans mes bras. Mon regard se perdit au plafond pendant que je le serrais contre moi.

— Je suis au courant de tout. Tu n'as pas à te justifier.

Son anglais était bien meilleur que mon français de la veille.

— Vraiment?

— Oui. Tu étais seule. Ton mari t'avait abandonnée, n'est-ce pas? Le père de Sophie?

— Andrew. Il n'était pas certain que tu sois son fils.

— Comme ça, il aurait voulu que je sois son fils?

— Je crois que si.

— C'est curieux. Sophie m'a dit qu'il était acteur et c'est ce que j'ai toujours voulu être mais je n'osais même pas regarder le monde en pleine face.

— Sophie te l'a dit?

— Je me demandais d'où ça me venait, ce goût pour la scène. Ça ne ressemblait en rien à ce que mes parents faisaient. Je suppose que lorsque tu m'as donné en adoption, tu croyais alors que mon père reviendrait?

— En quelque sorte. Nous aurions pu retourner en

Espagne, Sophie, toi et moi. Mais je ne crois pas que nous aurions pu nous en tirer sans l'arrivée dans nos vies de Jean-Paul et de Loesic. Je me le demanderai toujours... Je n'aurai jamais la réponse.

— Tu as raison.

Et il se laissa aller contre les oreillers.

— Il y a longtemps que tu sais à mon sujet?

— Oui. Tu sais, maman... Loesic... m'a parlé de ma double appartenance avant même que je puisse saisir le sens des mots. Elle me l'a apprise, comment dirais-je... *graduellement*?

— «Gradually.»

— Oui. Elle m'a expliqué qu'avant d'avoir la chance de te rencontrer, elle avait presque eu l'honneur de rencontrer monsieur ou madame Mort, je ne sais trop. Jean-Paul l'avait promenée dans tout Paris à la recherche d'un lit d'hôpital; elle s'était presque vidée de son sang. Puis elle a subi – comment appelle-t-on ça? – une hystérectomie. Elle m'a confié qu'on lui avait enlevé l'endroit de son corps où j'aurais pu résider. Aussi j'étais très chanceux que tu puisses m'abriter dans ton corps jusqu'à ce qu'elle puisse venir me chercher à Londres.

Il me regarda, puis détourna les yeux.

— C'était une très gentille façon de présenter les choses.

— Mais je ne suis plus un enfant maintenant.

— Non.

Il se tourna sur le côté et plaça sa joue sur l'oreiller.

— Quand on y songe bien, c'est plutôt parce que Niki se trouvait à être là que les choses ont tourné ainsi.

— D'une certaine façon, tu as raison.

— Si elle n'était pas venue à Bouchauds?

— Avec des si, tu sais... Et si j'étais demeurée en Espagne?

— Tu as raison, Kathleen. C'est un mot inutile. On ne devrait pas l'employer.

Je soupirai.

— On ne devrait pas, mais on l'emploie.

On cogna de nouveau. C'était Marie-Claire, avec un ornement végétal que je devais fixer à mes cheveux, à la nuque. Je ne voulais pas qu'il parte, mais il devait aller se préparer. Je commençai à assembler les pièces de mon costume. Je passai mon cardigan pour me protéger du froid et je descendis les étages jusqu'à la sortie pour me retrouver dans la cour. Des gens que je ne connaissais pas étaient assis en rang dans le vieux pigeonnier, dont la façade s'était écroulée. Partout sur le terrain, des chandelles fichées dans des pots de sable. Un chien aboyait. Au centre de l'aire où j'avais remis à Sean une pastille contre le mal de gorge, Gilbert se pencha pour allumer le premier feu d'artifice. Il portait une combinaison noire. À l'arrière de cette combinaison, on retrouvait un squelette vu de face; lorsqu'il se penchait, il semblait en fait arquer le dos vers l'arrière. Son ami Fred portait un costume d'arlequin. Toute sa figure était peinte en blanc, même ses lèvres. Il se tenait en silence près de Gilbert en squelette et lui refilait des allumettes.

Une théorie de fêtards passa dans la cour au gazon clairsemé et sous la toiture du théâtre où des tables avaient été montées pour le dîner. D'abord un personnage portant une large culotte bouffante et des clochettes à la poitrine, puis un singe qui jouait du tambourin, puis un ogre aux grands crocs. Un homme encapuchonné s'avança, un plateau de consommations au bout du bras. Un groupe de dames aux coiffures hautes, recouvertes d'un large mouchoir blanc, garèrent leurs autos près de la barrière. Même si tous ces personnages variaient en taille, on les aurait tous crus sortis de la même fresque. Une tapisserie vivante, unidimensionnelle. Un homme en robe, le chapeau cabossé enfoncé jusqu'aux sourcils, se penchait pour parler à un abbé qui avait la taille d'un gamin. Un lapin aux oreilles tordues siégeait dans le ciel, là où on aurait dû trouver la lune. Des centaines de lys de la vallée tissés avec soin, des campanules, des ancolies tombaient du ciel. Près de l'entrée, Sean accueillait ses invités. Il portait une tunique et un pantalon coupés dans un papier ténu et doré. Un large ceinturon enserrait sa poitrine et sa taille et il portait des chaussures au long bout retourné.

Une rangée de lanternes chinoises pendaient des poutres du toit au-dessus de l'endroit où Jean-Paul et Loesic se tenaient. Ils étaient vêtus de tuniques taillées dans le même matériau que celle de Sean. Mais le tout me parut soudain si fragile, si temporaire que le caractère factice de l'événement me sauta aux yeux. Loesic portait toujours ses lunettes et Jean-Paul son pantalon habituel qui ne descendait pas très bas sur le mollet, laissant bien voir ses souliers en oxford. La scène était à la fois plus artificielle et plus ordinaire que je m'y serais attendue. Je m'étais figuré davantage une suggestion qu'une répétition. Un cheval aux yeux verts semblait fatigué. Un bouffon agitait une clochette près de mon oreille. Une Esmeralda transportait une chèvre dans ses bras, une autre non. Loesic avait placé la plus bizarre des garnitures sur ses cheveux: une sphère de fils entremêlés formait une cage où on pouvait apercevoir une rose recouverte de dorure. Elle plaça sa main au sommet de cette coiffe étrange et me confia que cette fleur n'avait été tout d'abord qu'un bouton ratatiné. Un jour, un prince avait poussé le verrou de la porte du château et elle s'était épanouie en cette rose magnifique.

Plusieurs femmes s'avançaient, un fuseau sous le bras; elles tenaient une main devant leur bouche pour dissimuler leurs rires. Elles enroulaient leur fil tout en discutant avec un forgeron penché sur son enclume et un charpentier qui tenait sa doloire. Tous ces gens travaillaient, chantaient, mangeaient, faisaient de la musique. La dame grenouille voulait se faire aussi grosse que la vache – ses lèvres étaient peintes en noir et elle portait un immense têtard devant son pubis; elle rapetissa pour réapparaître dans le costume d'une fée dont les pieds caprins entouraient le poteau de sa tente. Un lion crachait un torrent d'eau et déclarait qu'il ne voulait rien faire d'autre que de jouer de la harpe, mettre sa mie échec et mat et nourrir un faucon posé sur son poignet.

La femme qui, plus tôt dans la journée, portait un t-shirt Mickey Mouse, était revêtue d'une classique robe bleue que décoraient des palmettes de papier argent. Elle était ma voisine de table au dîner. Elle se plaignait de l'inconfort qu'on ressent à s'asseoir sur des palmettes. Je mordais dans un céleri lorsque je vis Gilbert entrer ses doigts dans sa bouche et retirer un plombage tombé sur sa langue. Il me regarda de fort mauvaise humeur et tenta en vain de le remettre en place.

Puis tout le monde se leva et se mit à applaudir. On amenait *la pièce montée* sur un chariot: une pyramide de pâtes, composée de boulettes au rhum glacées. Avant de la découper, Sean s'empara d'un sabre et fit sauter le bouchon d'une bouteille de champagne. Un rituel connu sous le nom de *sabré*. Il dut s'y prendre à trois reprises avant d'y arriver sous les encouragements et les applaudissements de la foule.

Plus tard, je dansai avec lui. Il semblait tendu et hésitant. Il nous fit valser à travers la pièce, nez projeté vers l'avant, comme un étudiant qui danse avec son professeur au bal des finissants. La danse terminée, une commotion nous parvint du pré qui jouxtait la salle. On poussait un énorme cheval de contreplaqué à l'intérieur du théâtre. Une famille entière sortit de son ventre. Ils portaient tous des toges. Ils regardaient tout alentour, comme s'ils cherchaient ceux qu'ils venaient secourir.

Puis j'ai dansé avec Jean-Paul. Il regardait par-dessus ma tête et m'expliquait que cette famille, surgie d'un cheval de Troie, arrivait de Londres. Sean posa le sabre et traversa la pièce en zigzaguant jusqu'à la plus jeune des filles de cette étrange famille. Elle était descendue du cheval comme dans un état de choc: elle ne semblait pas savoir où elle était, ni comment se comporter.

À ce point de la fête, plus personne ne se préoccupait de tenir son rôle. Les nouveaux arrivants étaient affamés. Ils avaient dû sauter le dîner. Ils se dirigèrent en bloc vers le buffet. Sean, médusé, sautillait autour du cheval en compagnie de la jeune fille; il examinait les articulations et caressait ce qui ressemblait vaguement à une crinière.

— *Tu dors, Kathleen?*

Sans bruit il s'était approché de moi alors que je me tenais près de la porte de l'écurie.

— Non. Mais j'ai envie d'aller marcher un peu.

— *Veux-tu une petite lampe?*

— Oui, s'il vous plaît. C'est plutôt sombre.

Mais Loesic avait prêté la lampe de poche à Gilbert. Sean offrit donc de m'accompagner. À une bonne distance du château, nous gravîmes une pente dans l'obscurité. Déjà les draperies fines de la fête étaient derrière nous, et nous pouvions apercevoir les lignes sombres de la scierie. Des supports en bois portaient des bûches de peuplier tachetées. Les rires et la musique s'estompaient. Au tournant de la route, nous jetâmes un coup d'œil en arrière. Sean s'assit pour dégager une pierre de son soulier. Je m'installai près de lui, retirai ma lourde coiffe et libérai mes cheveux. Il toucha mon bras.

— Il y a un nom en français pour désigner ce que tu es pour moi. Tu es *ma génitrice.*

Puis il commença à me raconter que cet été-là représentait une période difficile pour lui. Il venait de

151

terminer son baccalauréat en sciences et souhaitait maintenant étudier le cinéma et les communications. Il devait prendre des décisions importantes pour son avenir; déterminer quel serait son rôle sur cette terre. À quoi servait sa présence dans ce corps? Il aurait pu aussi bien être un arbre.

Puis soudain il voulut partir. Il voulait revoir Christina, cette fille en toge blanche. Il s'excusa. Plus tard, j'allais trouver sa tunique or sur le plancher de la salle de bains. Je la suspendis à un support. Il avait laissé tomber une pièce de gaze dorée dans l'escalier qui menait au grenier, comme on abandonne un mouchoir ou un soulier.

Le lendemain matin, Sean et Christina flânèrent dans ce même sentier où je l'avais aperçu le premier jour, entre la chapelle et un bâtiment extérieur. Il me dit qu'il était heureux. Mais il m'apparaissait trop fatigué pour être heureux. Plus tard, je parlai à Loesic et elle me dit:

— Oh, Sean est amoureux. Une fois de plus.

À mes yeux, il était amoureux à la façon dont Roméo était amoureux de Rosaline avant de rencontrer Juliette. Cet après-midi-là, dans la cuisine, je me préparais à faire cuire les carottes que je venais de cueillir au potager et Jean-Paul lisait un journal. Sean me demanda s'il ne devait pas d'abord les peler. Je souris et rétorquai:

— Je ne les pèle jamais quand elles sont jeunes et tendres.

Il demeurait sceptique. Et il me demanda si je cuisais également les tiges. Et il trouva sa remarque très drôle. Il s'empara d'une serviette et s'en prit à son ami Poupon qui s'empiffrait de yogourts à la longue table. Sean les comptait et il se moquait de Poupon qui avait encore les yeux vitreux à seize heures. On m'expliqua que son surnom dérivait de son nom Patoune. On l'appelait ainsi parce que ses joues gonflées ressemblaient à celles d'un poupon. Sean gonfla les siennes et produisit un son en appuyant dessus avec son doigt.

— Et il ressemble aussi à un ourson, un *nounours*, Kathleen.

— Tu as beaucoup voyagé en Allemagne, n'est-ce pas? Sophie m'a dit que tu y étais allé.

— Ça oui.

— Et à New York aussi? J'ai entendu dire que tu étais allé à New York?

— New York ne se trouve pas en Allemagne, reprit-il. Il ne me regardait pas et continuait à se moquer de Poupon.

La façon dont ses lèvres retombaient aux commissures me rappelait tellement Andrew; j'en étais estomaquée. Sa bouche – dont la lèvre supérieure était en forme de cœur – était d'une telle sensualité. Il m'avait entendue raconter aux autres l'angoisse qui m'habitait lorsque j'avais téléphoné de Londres.

— Tu es une adulte, s'exclama-t-il. Pourquoi s'angoisser pour un simple téléphone de Londres?

Poupon était resté debout plus longtemps que nous tous. Il avait sorti les décorations du théâtre et les avait empilées dans la cuisine avant de les ranger définitivement. Sur le dessus de la pile, un immense poisson en papier. Sean lui demanda abruptement pourquoi il avait ramené cette décoration, alors qu'on savait bien qu'elle devait être laissée en place – il s'agissait d'un poisson que Jean-Paul avait acheté il y a plusieurs années, peu après que Niki leur eut téléphoné de Londres. Il l'avait suspendu à la porte, comme le mari en Chine quand son épouse est sur le point d'accoucher et qu'il souhaite un fils. Il était donc suspendu à la porte quand ils avaient pris l'avion pour Londres.

— N'est-ce pas, maman?

Loesic repliait une pièce de tissu – une de celles

sorties pour la fête et qu'on venait de ramasser cet après-midi-là.

— Je pense qu'on l'a suspendu après notre retour de Londres.

—Non. C'était avant que vous vous rendiez à Londres. Tu t'en souviens, papa?

— Hmmm?

Jean-Paul leva les yeux de son journal.

— Ce poisson, reprit Sean en le pointant, vous l'avez accroché avant que je vienne à Paris avec vous.

— Je ne m'en souviens pas. Tout ce dont je me souviens, c'est de la merde que l'Immigration nous a donnée.

— Vous avez eu des problèmes avec l'Immigration? fis-je.

— Si tu savais, Kathleen.

Sean finit d'essuyer la vaisselle, puis vint donner un coup de main à Loesic.

— Tu devais penser que tout avait marché sur des roulettes, mais ce n'était pas la détente totale pour moi. Mon baptême de l'air, tu comprends? Je me suis bien amusé, mais...

Il attrapa un des coins de la pièce de drap qu'il pliait avec Loesic et se recula en sautillant, comme s'il avait exécuté un menuet.

— Tu as aimé cela. Tu as dormi tout le temps, commenta Loesic avant de ranger la pièce de tissu.

— Oui, mais, maman, lorsque nous sommes enfin arrivés, le poisson était là?

Loesic rit. Mais Sean n'allait pas laisser tomber. Il se rendit auprès de Jean-Paul qui était installé au bout de la table et lui prit le menton. Son père adoptif souriait avec obligeance: ses joues se plissaient vers ses yeux, ses pattes-d'oie devenaient plus évidentes, pendant que Sean, lui, secouait la tête.

— Regarde sa figure, Kathleen. Regarde bien sa

figure. Je t'assure qu'il n'avait pas cette belle assurance lorsqu'il traversait la salle des arrivées à l'aéroport avec moi dans ses bras.

Il essayait vraiment de nous impressionner.

Il revint à son public.

— L'officier de l'Immigration nous observait, tous les trois, d'un œil accusateur. Il a consulté un de ses supérieurs, puis, après m'avoir remis à maman, il demanda à papa de passer dans une salle d'interrogatoire. Maman a dû attendre sur une chaise droite comme une immigrante dans son propre pays pendant qu'on cuisinait son mari. Mais papa avait un peu l'habitude des interrogatoires. La dernière guerre. Il a tenu le coup. Il a agi en héros, Kathleen. Tu peux me croire. Tu n'avais que seize ans, n'est-ce pas, papa, lorsque la guerre a été déclarée. C'est très jeune.

— Je croyais que nous discutions de l'Immigration, grommela Jean-Paul avant de retourner à son journal.

Sean se recroquevilla sur le divan de cuir brun près de la cuisinière et insista pour me raconter comment les parents de Jean-Paul, qui habitaient un village de Lorraine, avaient dû fuir en pleine nuit et abandonner leur foyer au début de la guerre. Ils ne purent sauver que ce qu'ils pouvaient transporter. Ils étaient dans un désarroi total, comme tous les Français à qui on avait assuré que la ligne Maginot était imprenable et qu'ils n'avaient pas à s'en faire – ce qui malheureusement se révéla faux: les Allemands envahirent le territoire national en moins de deux mois. On était en août et tout le monde était en vacances. Paris était pratiquement désert lorsque les Allemands y pénétrèrent. Cette pensée révoltait Sean. Et il y songeait constamment, disait-il. L'Allemagne considérait l'Alsace et la Lorraine comme des territoires germaniques. Après leur annexion, Jean-Paul avait été embrigadé dans l'armée allemande.

Jean-Paul ouvrit une bouteille de vin.

— J'étais jeune alors, déclara-t-il. Je croyais que tout ça n'était qu'un jeu, une aventure. Je ne savais pas. Aucun de nous ne savait. Ils m'ont placé dans une division spéciale des SS, qui ne contenait que des types de plus de six pieds. Quel choc pour quelqu'un qui a été élevé dans la foi catholique d'apprendre qu'en temps de guerre les notions de bien et de mal n'existent plus. Il n'y avait qu'une seule réalité: tuer ou être tué.

— Tu étais dans l'armée allemande? demandai-je.

— Oui.

— Mais pas pour longtemps, Kathleen, dit Sean en posant sa main sur mon poignet. Tu peux imaginer quelle chose difficile c'était pour un si jeune homme d'en arriver à se convaincre qu'il devait fuir. Mais c'est ce qu'il devait faire, et il l'a fait. N'est-ce pas, papa? Il a fui et il a rejoint la Résistance française. Puis la Résistance lui a demandé de retourner dans les rangs de l'armée allemande et d'y agir comme espion. La première fois qu'il a vu cette région-ci, c'est en 1940, lorsqu'il y a sauté en parachute.

— Mais est-ce que tu as une idée de ce qu'il me voulait vraiment à l'Immigration? me demanda-t-il, interrompant Sean. Ils recherchaient un terroriste dont la description ressemblait à la mienne: nous avions les mêmes traits, à ce que je me souvienne, et peut-être le même nom. De toute façon, j'ai mis des heures avant de me sortir de ce fatras bureaucratique. Des heures.

— Mais nous avons tout de même fini par aboutir chez nous, fit Loesic.

— En effet.

Plus tard ce soir-là, dans la bibliothèque, nous avons regardé des albums de photos. Sean m'en montrait de toutes les sortes, y compris celle d'un chat que la famille avait eu lorsqu'il était bébé. Ils étaient de retour de Londres depuis peu, raconta-t-il, lorsque sa mère et lui s'étaient rendus dans les sous-sols de leur maison de rapport pour y chercher des esquisses du concepteur et dessinateur des pages couvertures de *Vogue*, qui avait vécu dans le même édifice auparavant. Un homme du nom de Lepape. Loesic y avait trouvé de bien meilleurs dessins que ceux qui l'avaient rendu célèbre par l'entremise de *Vogue*. Un jour qu'ils y étaient redescendus pour en trouver davantage, un chat avait bondi d'une étagère et avait griffé Loesic. Ça ne lui était jamais arrivé. Loesic aimait les chats. Malheureusement, la griffure s'était infectée et elle tomba malade. Elle ne pouvait plus voir à Sean et on dut engager *une fille au pair*: Dorothée. Elle était bavaroise et très gentille. Le problème fut que Jean-Paul en était à ces années difficiles de la quarantaine où un homme se demande s'il est encore capable de séduire. Chaque fois qu'il regardait Dorothée, cette idée l'obsédait – et l'obsession était constante car elle était toujours présente.

— Le pire c'est que Dorothée respectait maman – tout le monde, d'ailleurs, respecte maman, expliqua Sean. Et elle ne voulait pas déranger l'harmonie familiale. Elle se retrouvait dans une terrible position. Et on ne peut vraiment rien lui reprocher, à cette Dorothée. Papa est irrésistible!

Et il se mit à rire.

— Non, vraiment, Kathleen, on ne peut pas blâmer Dorothée. De toute façon, lorsque maman a pris conscience de la situation, elle a décidé de l'amener en Bretagne visiter ses parents, afin de laisser toute l'affaire se décanter un peu. Pendant leur séjour en Bretagne, ils se sont rendus voir les dolmens de Carnac. Personne n'a jamais compris la raison d'être de ces monuments.

Sur la photo qu'il m'a montrée, ils ressemblaient à des femmes portant fichu, qui se seraient éloignées dans la brume. Parmi les menhirs, on pouvait l'apercevoir qui se cachait derrière l'un des mégalithes sur lequel un autre était tombé. Il jouait à cache-cache avec le photographe. Puis il attrapa un autre album sur une tablette.

— Est-ce que maman t'a envoyé cette photo? Je me demande bien pourquoi elle t'a envoyé celle-ci en particulier. J'essaie de te raconter ma double vie, Kathleen. Ma vie à *double fond*. Tu sais, un peu comme un espion qui posséderait une valise truquée.

Les grandes fenêtres de la bibliothèque s'ouvraient sur les champs, sur ces peupliers au loin et sur ces collines que l'horizon brumeux estompait. J'avais envie de lui dire:

«Arrête. Arrête de tourner les pages si vite, de sortir les photos, de les replacer pour former différentes combinaisons. Tu vas trop vite. C'est la vie de mon enfant qui défile devant mes yeux.»

Il en arriva finalement à une page où on trouvait une photo de lui en chandail de laine noir qui le montrait entre les dolmens de Carnac. Il me dit:

— Maman n'a jamais oublié la première phrase que j'ai prononcée. Je me promenais entre ces monuments et j'étais fatigué. J'ai alors lancé: «*Assez de cailloux, Maman. J'en ai assez de tous ces cailloux.*»

De toute façon, de poursuivre Sean, Dorothée retourna en Bavière et ils revinrent à la maison, à Paris. Jean-Paul avait perdu son sens de l'humour et Loesic cherchait un projet pour solidifier les liens familiaux. Ce fut donc le temps des premiers pique-niques à Pruniers. Les photos de cette époque ne montraient rien d'autre que des ruines – les pierres de la toiture jonchaient le plancher. La famille pique-niquait autour d'une nappe à carreaux. J'eus à peine le temps de jeter un coup d'œil que déjà nous en étions rendus à des étapes ultérieures de sa croissance. Parallèlement, l'endroit s'abîmait. Tout disparaissait sous les ronces – la forteresse, la chapelle, les écuries et les autres bâtiments extérieurs: tout s'écroulait, pierre par pierre, comme dans un film au ralenti. La structure ressemblait à un de ces dessins que les enfants font d'un château – où toute complexité est absente: une structure carrée, des tours à chaque angle et une tour où personne ne pénètre jamais, sauf le gardien des clés.

Chaque fois qu'ils s'y rendaient, l'idée de restaurer l'endroit semblait une tâche à la fois de plus en plus impossible et de plus en plus urgente. Ils consultèrent un ami, qui avait fait des études en architecture médiévale, et ce dernier leur conseilla d'oublier cette folie. Le meilleur prix qu'ils pourraient obtenir pour la vente de Bouchauds paierait à peine la réparation de la toiture.

Mais Loesic avait décidé que la famille avait besoin de ces vieux murs et du sens de l'histoire qu'ils contenaient. Un jour elle pourrait dire à Sean que sa génitrice le leur avait confié parce qu'elle l'aimait et, en toute logique, ce château demeurerait la meilleure preuve de l'amour de ses parents. Cet édifice restauré lui conférerait une force et une confiance dans la vie dont il aurait besoin.

— C'est vrai?

— C'est ce qu'elle pensait. Même le propriétaire, général à la retraite, les avait prévenus. Mais Loesic avait décidé: on ne pouvait revenir là-dessus.

Par la suite, ils avaient fait évaluer la réparation du toit et avaient pris conscience qu'ils ne pourraient verser le premier paiement. Le général avait consenti une hypothèque. Puis ils avaient nettoyé et nettoyé, y consacrant toutes leurs énergies.

Car, là où se trouvaient les pièces maintenant, il n'y avait rien. Qu'un trou.

Nous avons rangé les albums, puis sommes retournés à la cuisine. Sean se rendit dans la chambre attenante pour quérir Christina. La jeune fille avait pris le train pour Paris le matin même avec ses parents.

— *Je vais à Londres*, déclara-t-il en revenant dans la cuisine. Il avait le ton de celui qui craint qu'on l'empêche de réaliser un projet.

— Il était si docile quand il était plus jeune, murmura Loesic.

— Quels sont tes plans, Kathleen? demanda Sean.

— Je rentre à Vancouver le trois.

— Très bien. Moi, je me rends à Paris demain. Tu m'accompagnes?

Un regard en direction de Loesic: elle approuvait de la tête.

— C'est magnifique, fis-je.

— Je te préviens, Sean, dit Jean-Paul. Pas d'achats de vêtements à Londres.

— Pourquoi pas? Les vêtements sont bien moins chers à Londres. N'est-ce pas, Kathleen?

— Je l'ignore. Il y a si longtemps que je n'y ai pas fait de shopping.

Ce soir-là, Loesic me fit des confidences dans la salle de bains. Elle se démaquillait. Je prenais place sur le comptoir près du lavabo, là où la planche à repasser avait été placée. Elle me confia qu'elle n'était plus heureuse à Paris. Il n'y avait plus rien qui l'émerveillait dans cette ville. Elle rêvait de leur retraite; ils pourraient passer plus de temps à Pruniers alors. Elle me dit qu'elle s'était efforcée d'élever Sean avec comme objectif de le rendre capable de se débrouiller, de s'occuper de lui-même, de ses vêtements, de se faire la cuisine, mais que ce n'était pas facile avec un père – Jean-Paul – qui ne faisait rien de tout ça. Leur mariage en était un de style traditionnel: il était le pourvoyeur et elle s'occupait du foyer.

— Tu t'es très bien débrouillée, Loesic.

— Toi aussi.

Chère maman,
J'ai bien hâte que nous puissions faire visiter à
Sean notre résidence secondaire près de l'anse.
Penses-tu qu'un tel jour viendra?

— Loesic, Jean-Paul et toi, seriez-vous d'accord si un
de ces jours j'invitais Sean à venir nous voir au Canada?
Juste pour quelques semaines. Sophie et moi serions
très heureuses de lui faire visiter notre coin de pays.

— *Bien sûr.*

Nous échangeâmes ce regard complice que nous
avions déjà échangé voilà plusieurs années dans la cuisine de mon appartement de Bennington Gardens. Ce
regard signifiait: la vie ne sera pas toujours facile pour
Sean, parfois compliquée.

Le lendemain, Sean et moi nous nous préparions à
monter dans l'auto qui nous conduirait à la gare. Jean-
Paul et Loesic se tenaient devant la porte principale, tel
un couple de châtelains. Je refoulais mes larmes. Sean
était impatient.

— Tu viens, Kathleen? Allons-y, lançait-il de la banquette arrière en se penchant vers l'avant pour ouvrir la
portière.

— *À bientôt*, fis-je.

Les deux m'embrassèrent par-dessus la vitre bais-
sée.

Dans le train, Sean, Poupon et les autres amis qui
nous accompagnaient à Paris abandonnèrent leurs bagages sur la plate-forme entre les wagons. Un vieil
homme sortit de sa poche, un portefeuille, une blague
à tabac et des tranches de fromage enveloppées dans
un papier ciré retenu par un élastique, et plaça ces
objets sur ses genoux. Sean me trouva le dernier siège

encore libre et grimpa mes valises dans le filet. Je ne pouvais croire que je l'avais pour moi toute seule pour deux jours complets.

À Paris, l'appartement m'apparut délabré, négligé. Le lit qui m'était assigné se trouvait dans cette chambre où j'avais aperçu ce berceau dont ma mémoire avait conservé une image si vive pendant toutes ces années. Il y avait plus de photos de mon fils bébé sur les murs que je pouvais en regarder. L'autre amie de cœur de Sean s'en venait. Elle ne savait rien de Christina.

— Qu'est-ce que tu vas faire? demandai-je à Sean.

— *On verra.*

— Écoute. Quand tu seras à Londres, va voir l'hôpital St. Mary's. C'est dans Paddington. C'est là que tu es né.

— Certainement.

Il ne semblait pas intéressé du tout. Il avait Christina en tête, et elle seule. La parfaite étudiante anglaise avec sa coiffure Christopher Robin et sa jupe à carreaux. À l'extérieur, les rues canailles de Pigalle exhalaient le parfum du monde interlope et de la chair vénale. Sean se promenait dans ces méandres avec aisance, comme un enfant du quartier qui en connaît chaque recoin comme le fond de sa poche.

Troisième partie

6

Lorsque je revins à la maison, l'été des Indiens pénétrait tous les êtres de sa chaleur humide. Le potager avait survécu à mon départ. Kim, ma voisine du dessous et ma propriétaire, l'avait arrosé et s'y était également approvisionnée. Beaucoup de courrier accumulé m'attendait. Des courses aussi: des vêtements pour l'école à ramasser, des chèques à envoyer à des organismes de support de l'enfance, du nettoyage, de la lessive, des amis des enfants qui téléphonaient pour savoir où ils étaient. Ma mère qui demandait avec un ton détaché si j'avais fait un beau voyage et qui voulait savoir si Luke viendrait dîner mercredi ou jeudi. Une nouvelle semence de laitue à mettre en terre de façon à avoir des légumes frais en octobre. Des cours à préparer. La vie normale, quoi.

Sophie était curieuse de savoir comment les choses s'étaient déroulées avec les Richter. Elle s'assit sur l'escarpolette et se balançait, jambes par en avant, jambes par en arrière, en touchant le sol pendant que je travaillais au potager. Les montagnes étaient d'un bleu pénétrant; c'était bon de respirer de l'air frais après un long vol intercontinental. Luke arriverait un peu plus tard ce même jour et toute chose reprendrait sa place dans la routine du quotidien.

— Faut que je te dise, maman. Papa annonce qu'il

doit se rendre à Londres. Je lui ai écrit pour lui dire que je voulais le voir. Il m'a répondu par ce que j'appellerais une lettre circulaire... Il me parle de sa tournée avec ce «band». Il est en Louisiane dans le moment... Et pas un mot au sujet de nos plans communs... Qu'est-ce que je dois en penser?

Elle s'était rendue auprès de son père, il y a quelques étés de cela. J'avais eu un peu de difficulté à découvrir son adresse exacte, mais Sophie avait montré beaucoup de détermination: elle désirait passer du temps avec lui. Il s'agissait d'ailleurs d'une très bonne idée. Elle devait connaître son père – ne serait-ce que pour lui assurer de meilleures relations avec les autres hommes. J'ignorais comment Andrew avait pu se retrouver en Louisiane. Quand elle y arriva, il lui avait acheté une chemise western noire, de façon à ce qu'elle s'intègre au groupe musical dont il supervisait la tournée. Elle y avait parfaitement réussi.

— Vas-tu lui parler de Sean en fin de compte? Je ne peux pas croire que mon frère s'en vient, qu'il va descendre de l'avion, traverser le tarmac...

Avant de quitter Paris, Sean et moi avions élaboré un plan. En partant de Londres, il allait faire un détour par Vancouver. Enfin, il verrait où nous vivions. Ce projet le fascinait. Il regardait au loin, vers un horizon invisible: «C'est là que je me rends», semblait-il dire.

— C'est bien réel, Sophie. Il va être avec nous bientôt.

— Va falloir songer à la bouffe. Il a mangé des crêpes à New York, et il a vraiment aimé ça. Il a dit que c'était la plus grande invention depuis le pain en tranches.

— Les Français n'ont pas de pain en tranches, ils ont des baguettes.

— C'est vrai, maman. Dis-moi, tu as parlé à Sean d'Andrew ou quoi?

— Si, je l'ai fait.

Il y a de cela des années, alors que Sean était encore très jeune, j'avais dit à Andrew que Sean était certainement son fils, mais il n'avait jamais demandé son adresse ni, en aucune façon, tenté de le joindre. J'en avais parlé à Sophie. Je voulais l'empêcher de développer de trop hautes attentes au sujet d'Andrew. Même si elle n'était pas chaude à l'idée de ressasser cette histoire, elle souhaitait tout de même un peu d'éclaircissements... Elle avait sans doute espéré que mon voyage en Europe résoudrait, en partie, l'imbroglio familial. J'ai pensé que la meilleure chose à faire pour le moment était de la soulager un peu de la responsabilité qu'elle s'était imposée comme ambassadrice auprès de Pruniers. Je me devais de normaliser la situation en lui faisant prendre conscience que je l'avais remplacée là-bas, qu'elle n'avait plus à assumer ce rôle. La meilleure manière était de lui raconter les événements en toute simplicité.

Je soulevai des tiges et des feuilles. Je cherchais des courgettes qui n'étaient pas trop mûres. Le sol était lourd; il collait à mes semelles crêpées comme je cueillais les dernières betteraves. Les bulbes pourpres des navets ressortaient du terreau; ces légumes pouvaient demeurer en terre encore quelque temps. Je me refusais à ce que Sophie gaspille sa vie à courir autour du globe dans un effort désespéré pour rassembler sa famille.

— Quand avez-vous parlé d'Andrew, Sean et toi? demanda-t-elle.

— Un matin. Un matin où nous étions assis à cette table ronde en cuivre.

— Celle qu'ils sortent chaque fois que le soleil se pointe le bout du nez?

— Je crois que si.

— Assis à cette table, on peut apercevoir le pré, celui où ils jouent au soccer?

— C'est bien ça. Au début, je ne savais pas trop si je devais parler d'Andrew. Tu comprends? À cause de

167

Loesic et Jean-Paul... Mais chaque fois que Gilbert était présent pour traduire, Jean-Paul s'amenait, apportant des chaises et tout... Parle, il me répétait, parle... Il n'était pas si brusque que ça peut en avoir l'air, mais il y avait tout de même une incitation dans leur voix à parler ouvertement de tout ça, du passé... C'est du moins ce que je percevais.

Sophie stoppa la balançoire et se pencha vers l'avant:

— Ils souhaitaient que Sean obtienne au moins une information minimale, et venant de toi?

— Oui.

Et ce n'était pas seulement lorsque Gilbert se tenait à proximité de Sean et de moi, à la fin de ces après-midi ensoleillés, que Loesic et Jean-Paul se faisaient insistants. Par l'entremise de cet interprète bénévole, ils m'ont souvent fait sentir dans quelle situation bizarre les conséquences de notre arrangement peu ordinaire les avaient placés au cours de toutes ces années – ils n'avaient aucune certitude sur le géniteur de Sean. Nous tombâmes d'accord sur un point: aucune langue de la terre ne fournit les mots adéquats pour traiter des problèmes de l'adoption, sans parler de la quasi-absence de règles formelles pour encadrer ce phénomène tout de même fréquent. Nous avons éclaté de rire quand nous avons pris conscience que nous avions raconté à Sophie et à Sean la même histoire, au même moment, sans nous être consultés. Je ne pouvais que me demander si nous n'avions pas utilisé ce que les spécialistes de l'adoption appellent «l'histoire magique» – c'était en fait notre intention – avec Sean, de façon à masquer la réalité de l'abandon.

— Ce que je veux dire, Sophie, c'est que pendant que nous discutions ainsi, près du terrain de soccer, je cherchais des renseignements à lui transmettre, qui l'aideraient à combler les trous de son histoire de vie. Des histoires sur ton père qui pratiquait ses pas de danse au Holiday Theatre, par exemple.

Le Holiday Theatre était une troupe de tournée. On y montait des pièces pour enfants. Andrew s'y était joint quelque temps avant notre départ pour l'Angleterre. Leur circuit se déplaçait autour de la province et suivait l'ancienne route de la ruée vers l'or, en aboutissant au nord au Cariboo et au Chilcotin.

Je sortis un brocoli de terre, en secouai les racines et le déposai dans un panier de paille. J'avais planté des fèves entre des madriers disposés sur le sol en guise de trottoirs. Les fèves étaient recouvertes de moisissures et avaient tourné au noir. Beaucoup trop mûres. Les merles s'en prenaient aux baies sauvages et au sumac. Ils préparaient leur longue pérégrination vers le Mexique.

— Il s'agissait de quoi?

— Eh bien, Andrew essayait d'apprendre les mouvements du renard dans *Pinocchio* – ou peut-être était-ce Jester?... Je ne sais plus trop...

— Ça n'a pas d'importance.

— Je crois que c'était le rôle de Jester. De toute façon, il devait faire des entrechats et il n'y arrivait pas. Nous étions dans une des loges au-dessus du vieil amphithéâtre. Je voulais l'aider. Réellement. Mais j'ai souri alors qu'il s'essayait à nouveau et qu'il échouait encore une fois... Je n'avais aucune intention de le ridiculiser, mais il était en colère! Et j'ai expliqué à Sean quel magnifique acteur était son père... (Cela, je l'ai répété des tas de fois...) Mets les concombres dans le panier.

— Tu as dit tout ça en anglais?

— Ce bout-là, oui.

— Comment Sean a-t-il réagi?

Elle stoppa la balançoire et laissa tomber ses mains entre ses genoux. Les tournesols surplombaient la clôture. Bientôt on pourrait utiliser les graines pour nourrir les oiseaux. Beaucoup à faire. Déjà mon voyage m'apparaissait un rêve – ce qu'il m'était apparu également pendant que je le vivais. Je me relevai pour nouer mon foulard. Un vent léger rafraîchissait le temps.

— Ah, tu sais, Sophie, au moment où je lui ai raconté tout ça, il m'écoutait, bien sûr. Mais il avait un peu l'esprit ailleurs. Il gardait un œil sur Christina, tu comprends?... À un autre moment (et ça m'a fait bien rire) je lui ai dit: «Si jamais tu viens nous voir, je verrai à ce que tu aies un fer à repasser à portée de la main.» Il passe son temps à repasser ses vêtements. Il ne s'est pas occupé de ma remarque. Tête penchée, il continuait son repassage. Dans la chambre où je dormais, il y avait une photo de lui. Il avait à peu près deux ans. Il présentait la même peau satinée que toi. Cette peau qui dégageait l'odeur des premières pommes de terre au printemps.

— Odeur de pomme de terre?

— Oui. De pomme de terre fraîche.

— As-tu remarqué combien grande est la marque laissée sur son bras par la vaccination?

— Non.

— Énorme, je t'assure.

Je lui tendis des paniers à entrer au sous-sol. C'était l'heure où nous devions nous rendre à l'aéroport pour y prendre Luke.

Elle s'installa, jambes sur la banquette, dos appuyé contre la portière. Je tournai le coin de notre rue bordée de bungalows blancs. Des gazons bien coupés les encerclaient. Une demeure avait des vitres teintées; une autre un jardin d'azalées spectaculaire, plein de décorations en aluminium de style rococo et de fontaines de plastique. Sophie affirma que ses propriétaires avaient gagné le prix de la maison la plus laide et qu'ils utilisaient cet argent pour la réparer.

Elle semblait perplexe. Peut-être avais-je abordé toute cette problématique du mauvais côté? Peut-être aurais-je dû utiliser une approche plus directe, plus réaliste, qui aurait mieux collé aux faits? Peut-être qu'admettre, dès le départ, un sentiment de perte de la part de tous les membres de la famille aurait mieux convenu. Avouer à Sophie qu'elle et moi partagions un manque commun aurait sans doute créé un lien plus fort entre nous. Cette explication aurait davantage convaincu un enfant adopté de la réalité de ses liens avec la famille adoptive que «l'explication magique». Sophie se retrouvait dans une situation inconfortable. Quant aux Richter, ils avaient développé une approche satisfaisante en ce qui a trait aux origines de Sean et acceptaient sans doute le fait que, de la même façon que ce garçon avait été privé de ses racines, Loesic avait été privée de la maternité. Si Sophie avait fait face à son propre manque, peut-être aurait-elle mieux compris la perte ressentie par son frère.

Évidemment tout semble différent selon les points de vue et selon la façon de privilégier tel ou tel aspect du problème. Parfois, lorsque je pensais au passé et que je regardais Sean, il évitait mon regard, regardait de côté comme s'il s'était demandé qui je pouvais bien chercher. Je comprenais maintenant que l'apparition de Sophie dans son monde lui avait semblé une menace.

Mais, d'autre part, il m'a confié que sa première rencontre avec Sophie à Paris demeurait pour lui un moment inoubliable. Ils étaient tous deux intimidés; ils ne parlaient pas la même langue, et chacun demeurait sur son quant-à-soi, tout en se jetant des regards furtifs. Il se souvenait qu'une fois, alors qu'ils nageaient tous deux dans la rivière, il avait soulevé une branche qui bloquait le passage à Sophie. Il lui distribuait en abondance le pain, les fruits et tout ce que les plats pouvaient contenir à l'heure des repas. Une autre fois, Sophie s'était étendue sur une chaise longue au soleil. Elle avait placé une chemisette sur son visage pour se protéger. Sean s'était approché et avait retiré la pièce de vêtement pour l'observer en guise de taquinerie. Après son départ, à ce qu'il disait, il conservait toujours une photo d'elle bien en évidence dans sa chambre à Paris.

Sophie voulait qu'on s'arrête chez Baskin-Robbins pour y prendre des glaces. Elle redevenait une petite fille lorsque quelque chose la troublait. Une glace à la fraise juchée sur un cornet bosselé sembla lui remonter le moral. Sous le pont, la rivière étirait lentement ses eaux grises. Des oiseaux de toutes espèces s'entassaient sur les rives et des étourneaux courbaient les fils prêts pour le départ.

Je me suis souvent demandé si Luke avait craint d'être négligé après que je lui eus appris l'existence de Sean. À la fin de chaque été, lorsqu'il regagnait la Côte Ouest, il avait besoin qu'on le réconforte, qu'on le rassure. Il avait besoin de se réhabituer à nos choses. Par exemple, un simple geste, comme prendre un litre de lait dans le frigo et le boire d'un trait après ses matchs, devenait plus difficile pour lui. Il lui fallait réapprendre. Déjà, le fait que j'aie connu deux mariages le contraignant à des allers et retours à travers le continent créait un certain degré d'insécurité chez lui. J'espérais que mon voyage pour rencontrer Sean n'ajouterait pas au fardeau qui était le sien.

— Tu as quoi d'autre à raconter? lança soudain Sophie.

Je lui jetai un regard.

— Voyons un peu... Je jugeais que les invités devaient fournir un peu d'argent pour la nourriture, mais j'ai décidé, au lieu de ça, d'acheter des aliments et d'aider à faire la cuisine.

— Ils n'ont pas voulu que je paie un sou pour les aliments quand j'y étais, expliqua Sophie. J'ai donc fait la cuisine quand Loesic s'est rendue à Pruniers.

— Tu avais de l'argent pourtant.

— Je sais.

— Tu as fait du curry, je gagerais?

— Tu as raison.

— J'avais pensé que tu aurais fait de l'agneau peut-être...

— C'était l'été. Pas vraiment la saison.

— Ce n'était pas la saison pour moi non plus. Mais je n'avais aucune autre recette à l'esprit et on pouvait en trouver au village. C'est difficile de se tromper avec un gigot d'agneau... Et tu sais combien j'aime cuisiner une recette dont je suis absolument certaine quand nous avons des visiteurs. De plus, j'avais vu de la menthe sauvage près de la tour ouest. J'ai pensé que ça leur plairait peut-être comme expérience culinaire; ils n'avaient probablement jamais mangé d'agneau assaisonné à la menthe.

Nous approchions de l'aéroport. Un avion supersonique faisait une longue approche. Je cherchai une place dans le parking.

— Ont-ils aimé? demanda Sophie.

— Je suis sûre qu'ils ont apprécié. Quand j'ai dit que j'avais cuisiné *de l'agneau*, chacun s'est mis à rire à cause de ma prononciation.

— *De l'agneau.*

— *C'est comme ça que je le prononçais.*

— Non. Tu prononçais probablement *lagnew.*

Je trouvai un endroit où me garer.

— De toute façon, voyons ce que je pourrais te raconter d'autre... Tu sais quand on se rend au village?

J'immobilisai l'auto et demeurai derrière le volant.

— Le lendemain de cette fête, continuai-je, nous avons rapporté des plateaux que Loesic avait empruntés. Juste avant de monter dans le véhicule, elle a soulevé les essuie-glace vers l'avant – comme on le fait lorsqu'on veut nettoyer le pare-brise – puis elle les a mis en marche dans cette position, comme deux antennes mobiles, et les a laissés ainsi jusqu'au village pendant que nous roulions. J'étais à l'arrière. Sean et Loesic demeuraient silencieux, ne semblant préoccupés en rien par les mouvements et la position bizarres des essuie-glace. Au fond, c'était plutôt drôle. Sean apprenait à conduire. À un moment, ils ont changé de place, mais ils n'ont pas stoppé ce manège. Même quand ils se sont arrêtés devant la boutique d'un marchand, ils les ont laissés en marche. Nous avons remis les plateaux empruntés et Loesic s'est pris une *frite* et un abricot. Ça ne semblait déranger en rien le propriétaire. Elle est probablement une bonne cliente.

— Elle l'est. Sean a conduit pour aller au village ou au retour?

— Au retour.

— Il a son permis?

— Je n'en suis pas certaine.

Nous nous rendîmes à la section des arrivées. Nous ne reconnûmes aucune des tristes figures qui se présentaient à la douane. Nous nous informâmes à des passagers et il s'agissait bien du vol en provenance de Seattle. Je commençais à m'inquiéter. Finalement un douanier vint nous chercher. À l'intérieur du stand de la douane, se tenait Luke. Massif, épuisé, renfrogné derrière sa planche à voile, il avait l'air d'une baleine échouée.

— Hello, maman.

— Bonjour, chéri. Qu'est-ce qui se passe?

Je le pressai contre moi. Ses cheveux sentaient l'air salin. L'officier de la douane avait voulu savoir les prix des produits qu'il ramenait au Canada et Sean avait lancé des chiffres au hasard. Il avait probablement voulu jeter de la poudre aux yeux.

— La planche vaut probablement autour de mille dollars et le harnais et le mât cinq cents, déclara le douanier en me tendant une facture de trois cent dix dollars.

— Qu'est-ce que c'est que ça?

— Frais de douane pour les biens que votre fils rapporte.

— Mais je ne sais rien à ce sujet. Il est allé rendre visite à son père aux États-Unis.

— C'est le prix à payer, madame. Ou bien vous payez, ou bien nous confisquons.

Luke fondit en larmes.

— Ne t'inquiète pas, chéri. On va trouver une solution.

Puis je m'adressai à l'officier de la douane:

— Écoutez, tout ceci est du matériel usagé. Cette taxe n'a pas de sens: ça vaut deux cents ou trois cents dollars, tout au plus.

Il n'y avait pas d'autre passager dans le bureau de la douane. Les fluorescents ronronnaient et le carrousel à bagages presque vide tournait inutilement, entraînant et ramenant sans fin les mêmes valises. Les douaniers étaient fatigués et irritables.

— Ce n'est pas ce que le jeune homme a déclaré.

Il se tourna vers Luke:

— Êtes-vous certain que vous n'avez pas de reçus ni de factures? Votre père, il a acheté tout ça d'un magasin ou d'un particulier?

— D'un particulier.

— Alors un reçu ne servirait pas à grand-chose. On pourrait y avoir inscrit n'importe quel montant.

Il ramena son attention à un travail de routine: estampiller des formulaires sur son bureau.

— Mon fils a dû penser à tort que tout cet équipement était neuf. Il y a des égratignures, des marques partout. Ça ne vaut pas du tout mille dollars.

On en arriva à un compromis: la douane allait s'informer auprès d'un magasin d'articles de sports le lendemain matin de la valeur réelle de ce fourbi. Nous allions revenir pour le récupérer et payer l'addition.

En route vers la maison, Luke n'était pas dans son assiette. Il retrouva sa bonne humeur quand il se mit à parler de planche à voile. L'année dernière, sa grande passion, c'était le break-dancing. Contrairement à lui,

Sophie, enfant, semblait transporter son univers partout; plus extraverti, Luke allait d'engouements en engouements, réagissant à ce qui se passait dans son milieu, toujours prêt à en tirer le meilleur parti. Aussitôt à la maison, il se rua sur le téléphone et demanda à un ami de venir l'aider à mettre en place les filets pour une partie de hockey sur l'asphalte.

J'avais acheté des pâtes au marché et je fis pour le dîner du pesto que j'assaisonnai avec le dernier basilic de la saison. Luke m'observait. Soudain il lança:

— Chez papa, ils ont une de ces machines, tu sais, et ils font leurs propres pâtes. Juste avant de les mettre sur le feu.

— Non? Vraiment?

Il s'informa de mon voyage, mais il était beaucoup plus intéressé à faire savoir à ses amis qu'il était de retour qu'à cueillir des nouvelles de ce frère un peu irréel d'outre-Atlantique.

Mais Sophie, elle, ne démordait pas. Elle voulait en savoir davantage.

— Tu me parlais de Sean lorsque nous sommes arrivés à l'aéroport. J'aimerais bien que tu continues.

Elle avait décidé de rester pour la nuit. Jambes repliées, genoux au menton, elle s'était installée à la table de la cuisine. Je mis de l'eau à bouillir pour le thé et m'assis face à elle. Longtemps nous laissâmes nos regards errer sur le rectangle de la cour arrière. Les magnolias du voisinage s'étaient recroquevillés pour affronter l'hiver et les forsythias n'ombrageaient plus l'allée. Je pris deux chopes sur les tablettes de bois brut de la cuisine. Le père de Luke avait été l'amour de ma vie – je ne pouvais le nier, et parfois je croyais que le fantôme du grand-père vivait encore sous le toit de cette résidence où le père de Luke et moi nous étions rendus au début de notre relation et où Luke avait l'habitude de passer une partie de l'été. Son grand-père avait bâti cette demeure où je devins si désespérément amoureuse qu'il est miraculeux que j'aie pu sortir vivante de cette liaison et fuir dans mon pays comme une réfugiée.

Je me repris et demandai à Sophie:

— Où en étais-je?

— Tu étais à la cuisine. Tu y préparais un gigot d'agneau.

— C'est cela. Je me retrouve. Je ne me souviens plus si c'est après ce même dîner – ou peut-être un soir après la fête?... De toute façon, à un moment donné la conversation est tombée sur la naissance de Sean, plus exactement sur ce jour où ils l'avaient ramené de Londres...

«Seigneur, j'espère que les histoires de douane vont s'arranger avant demain. Je ne peux pas vraiment me permettre de débourser trois cents dollars pour cet attirail...»

— Ne t'en fais pas, dit Sophie, ça va s'arranger.

Je versai le thé.

— Ils t'ont raconté comment les douaniers avaient interrogé Jean-Paul pendant des heures à leur arrivée à Paris? Loesic et Sean ont dû patienter durant des heures en dehors de la cabine, à se ronger les sangs pour lui.

— Ils ont cru que c'était mon père, Andrew, qui avait porté plainte.

— Oh! Sophie! C'est terrible, mais effectivement c'est ce qu'ils ont dû croire.

Le silence s'installa. Nous cherchions à lire nos pensées réciproques. Puis Sophie me supplia presque:

— Continue, maman. Je t'en prie.

Je lui racontai comment, ce même soir, après avoir parlé des problèmes de Jean-Paul avec l'Immigration, une discussion ardue avait eu lieu: Loesic avait-elle, oui ou non, déjà été griffée par un chat avant ce jour, attaquée par un chat dans *les caves* où elle avait été si malade...

— Je ne me souviens pas comment nous en sommes arrivés là, mais tout le monde était surexcité. Au dîner, une partie des convives étaient prêts à jurer qu'elle avait tort, qu'elle se savait allergique aux chats bien avant. Le médecin l'avait prévenue longtemps auparavant, quand ils vivaient tous à l'hôtel Liberty, près de la place Monge. Et c'était peu de temps après la Libération. Jean-Paul venait de démarrer son entreprise de réfection de vitraux. Puis ils ont commencé à se disputer; à savoir si les gens qui avaient quitté Paris pendant l'Occupation pour ne revenir qu'après le départ des Allemands n'avaient pas été en quelque sorte des collaborateurs...

— Maman, après la Libération, la situation était affreuse, coupa Sophie. Les gens se dénonçaient les uns les autres comme des collaborateurs et la moitié de la Résistance s'était fractionnée en factions rivales.

Elle se faisait les ongles et me jetait des regards enflammés.

— Tu as raison. Et quelqu'un a alors ajouté... Tu sais comment ils sont: ils ne peuvent bouger le petit doigt sans demander l'avis d'un tiers... Non, ça se passait décidément à l'hôtel Liberty, près de la place Monge et cette personne se souvenait qu'il y avait un chat, car il n'y avait pas le téléphone et grimper tous ces étages prenait beaucoup de temps. Aussi envoyait-on les messages d'un bout à l'autre de la cour arrière. Je n'ai rien compris à ce que ça avait à voir avec un chat. Mais en fin de compte, ça ne semblait aucunement une discussion en rapport avec la griffure dont Loesic avait été victime. Tout cet affrontement plus qu'animé sur cet événement banal m'a paru dissimuler un conflit beaucoup plus sérieux...

— Tu sais à quel sujet ?

— Pas réellement.

— C'était à propos de Dorothée.

— Tu es au courant de cette affaire ?

— Tu parles.

— Leur vie n'a pas toujours été un jardin de roses...
Pas plus pour eux que pour les autres couples. Ça n'a
pas dû toujours être facile pour Loesic. Il n'y a rien de
pire. Tu viens d'avoir un enfant, tu te sens peu attrayante, épuisée... Et c'est ce moment que choisit ton
mari pour s'amouracher d'une minette.

— Quand même, maman...

— Je l'admire. Au lieu de se laisser aller, elle a choisi
cette occasion pour réorienter l'énergie de toute la
famille sur la restauration de Pruniers.

— Mais, maman, c'est toi qui as eu le bébé, pas
Loesic.

— Tu as raison, Sophie. Je déparle, ma foi.

***

— Kathleen, je te téléphone de Londres.

— Où tu es à Londres?

— Je ne sais pas trop. Quelque part dans une cabine
téléphonique.

— Saute dans l'avion. On t'attend.

Une écharpe de brume surplombait les montagnes.
Les feuilles épousaient leurs teintes automnales. Les
feuillus prenaient enfin leur revanche et connaissaient
leur moment de gloire. Pendant quelques jours, ils
allaient se dresser, écarlates ou dorés, entre les sapins et
les pins. Je trébuchai sur une boîte de peinture en me
rendant à la remise pour en chercher une autre; je
repeignais la chambre d'amis pour Sean. Des nuages en
volutes de fumée montaient derrière la colline bleutée
la plus proche. L'océan était bleu mer. Sophie reçut une
autre carte d'Andrew. «Les événements ont conspiré
pour nous empêcher de quitter Londres.» Elle pani-
qua: qu'allait-il se passer si Andrew et Sean se rencon-
traient par hasard dans la rue? Je la rassurai:

— C'est le genre de chose qui n'arrive pas.

— C'est justement le genre de chose qui arrive, rétorqua-t-elle.

Luke avait inventé un nouveau jeu. Il utilisait la passoire à spaghetti et une balle de golf qu'il faisait rebondir dans l'escalier. Lorsqu'il y jouait, à moins de donner un mot de passe, on ne pouvait descendre ni monter.

— Luke, pour l'amour du ciel, laisse-moi passer. Je ne connais pas le mot de passe, mais je dois sortir faire des courses.

Le fait que j'aie repeint sa chambre pendant son absence ne l'inclinait pas à l'indulgence. N'avais-je pas repeint une chambre pour Sean? Il n'était que normal que je repeigne la sienne.

Le jour de l'arrivée de son frère, la bicyclette de Luke était appuyée contre le mur intérieur du vestibule. Le filet à légumes que j'avais laissé sur la balançoire se retrouvait, par je ne sais quelle magie, entremêlé aux rayons des roues. Tout d'abord, il ne voulait pas venir à l'aéroport. Puis il voulait; puis il ne voulait plus... Finalement, il décida de rester pour jouer au hockey à pied en nous attendant.

Nous étions en retard. Je klaxonnai et Sophie surgit dans son pantalon de velours noir et son léopard. Elle me remit son crayon à sourcils et son rouge à lèvres par la vitre de la portière, me demanda de ranger le tout, puis elle jeta un coup d'œil circulaire à notre demeure et aux montagnes qui l'entouraient comme si elle avait voulu se donner une contenance. Elle se baissa, étendit le bras et déverrouilla la portière arrière avant de monter et de s'y étendre de tout son long. Peut-être allions-nous devoir nous arrêter en chemin? Peut-être allait-elle être malade? Peut-être devrait-elle demeurer à la maison et y attendre Sean? Non! Pas question! Il fallait qu'elle vienne.

À l'aéroport, elle oublia de me demander son maquillage. Pâle, elle se tenait près de l'auto. Pendant que nous traversions le parking, elle pressait sa main contre son visage. Elle m'apparut très nerveuse. Le ciel était radieux, éblouissant.

— Tu sais ce qu'ils m'ont dit, maman? Ils m'ont dit que si je ne prenais pas un grand soin des toilettes que j'allais porter, si je ne me coiffais pas avant une sortie, c'est que j'avais peur de devenir une femme. C'est ce qu'ils ont dit.

Elle avait de la difficulté à me suivre. Ordinairement, elle prenait pourtant de plus grandes enjambées que moi.

— Ils ne savaient pas ce qu'ils disaient, n'est-ce pas?

Je vérifiai l'heure d'arrivée sur le télégramme. Je craignais d'être en retard.

— Ils m'ont dit également que c'était dommage que je ne reste pas plus longtemps avec eux; on aurait pu discuter de mes problèmes psychologiques... Je croyais pourtant m'être rendue en Europe pour parler des problèmes de Sean, pas des miens. Il n'a pas compris pourquoi je portais cette casquette de base-ball tout le temps. Il n'a pas compris que je la portais pour éloigner les coureurs qui sont nombreux dans les rues, là-bas.

— Tout va bien, Sophie. Ne t'inquiète pas. Tout va bien se passer.

Et je pris sa main.

Contrairement à ce qui s'était passé lors de l'arrivée de Luke, pas de longue attente cette fois. À peine quelques minutes, et, souriant, il franchissait la barrière et marchait vers nous.

Il paraissait fatigué, mais heureux d'être là. Pour lui, on en était au milieu de la nuit. J'avais choisi son vol pour qu'il passe au-dessus des Rocheuses à la clarté du jour, afin d'admirer cette longue plissure aux pics pointus qui s'étendait jusqu'au Pôle Nord.

Une jeune femme portant une robe rayée passa.

Elle traînait ses bagages derrière elle. Sean lui envoya nonchalamment la main. Peut-être occupait-elle le siège voisin du sien.

C'était bon de le voir; encore mieux de le serrer contre nous.

— Pas de problèmes avec la douane? demandai-je.

— *Non. Pas de problèmes.*

— Très bien. On file à la maison.

Pendant que nous montions, il observait Sophie avec intensité, comme s'il avait voulu voir son squelette ivoire à travers sa peau.

— Tu as vu les Rocheuses? Étonnantes, n'est-ce pas?

En le voyant, je m'étais sentie débitrice de Jean-Paul et Loesic. Ils devaient ressentir le même manque physique que je ressentais lorsque Luke était loin de moi.

— Certainement que je les ai vues. Laisse, Kathleen, je m'en occupe, c'est trop lourd pour toi. C'est vraiment très lourd.

— J'aime ton sac.

— Merci. C'est le sac de Jean-Paul.

— Comment va Jean-Paul?

— Bien mieux.

Jean-Paul avait fait une légère thrombose un mois auparavant et on avait dû l'hospitaliser. J'avais téléphoné et écrit, mais je n'avais pas eu les dernières nouvelles.

— Tant mieux.

Chez nous, nous contournâmes la rampe d'escalier et grimpâmes les marches. L'année précédente, tous les trois, nous avions repeint en gris avec des espaces blancs. J'étais heureuse que notre appartement ait une belle apparence, surtout à cet instant. Luke nous attendait en haut de l'escalier. Il arborait le sourire qui lui est naturel. Il attrapa les bagages de Sean.

— Hello, Sean.

— *Salut, Luke.*

Je débordais de joie. J'aurais fait n'importe quoi pour que nous soyons tous réunis. Un vent frais parcourut la maison et chassa l'odeur des pois verts. Tout semblait aujourd'hui frais, propre et transparent. Sean s'assit sur le divan jaune et commença à extirper des cadeaux de ses bagages. Pour Luke, un livre à la couverture blanche et étroite, *Sources d'amitié*. Par politesse, Luke ne mentionna pas le fait qu'il ne pourrait le lire. Sean offrit à Sophie un magnifique album de reproductions du Louvre.

— Tu dois remercier maman pour ça, lui dit-il.

Et pour nous tous, trois invitations pour les festivités de l'année suivante au château. Cette fois-ci, on ferait référence au dix-septième: perruques poudrées, robes à panier...

Puis il s'est levé et s'est lancé à l'exploration de notre demeure. Il se complaisait tout particulièrement dans les alvéoles de nos baies panoramiques. Les fenêtres étaient toutes ouvertes. Il montra son appréciation pour chaque pièce – un peu comme s'il s'était attendu à trouver ces planchers de bois franc, ces fenêtres et leur arc, ces piles de livres et ces plantes tout juste comme il les apercevait. Sophie rayonnait de voir qu'il se plaisait ainsi chez nous. J'allais faire de la limonade lorsqu'il cria de la chambre d'amis à l'étage:

— C'est là que je vais dormir?

— Oui.

— Très bien.

Il descendit.

— L'appartement est magnifique. *C'est très beau*, dit-il.

Ça lui rappelait l'atmosphère de Bouchauds. Je me demandais comment il pouvait s'en souvenir; il n'avait que trois ans quand ils avaient vendu Bouchauds.

J'avais invité quelques amis pour un dîner à la bonne franquette: Kim, ma propriétaire, Haida qui demeurait un peu plus bas dans la même rue, mon amie Donna et

Tim, le nouveau copain de Sophie. Haida nous avait envoyé la main quand nous avions passé devant chez elle en revenant de l'aéroport. Elle poussait sa vieille tondeuse à gazon dans l'ombre de ses noyers. Elle était resplendissante, avec ses cheveux courts et sa robe d'extérieur blanche.

Avec l'arrivée de Sean, une joie contagieuse était entrée dans la maison. De lui-même, il avait trouvé une bouteille de vin frappé dans le réfrigérateur et avait transporté des verres tête-bêche jusqu'à la table à café. En attendant nos invités, Sophie s'étendit sur le divan. Sean prit place sur l'accoudoir, juste au-dessus d'elle. Elle l'écoutait bavarder et elle souriait. Elle était heureuse d'être là. Elle étendit ses pieds aux ongles peints en rouge et les posa sur mes genoux. Puis elle mit sa main dans celle de Sean. Luke se tenait dans l'entrebâillement de la porte, un bol de salade et de chili à la main.

— Tu n'attends pas le sushi, trésor?
— Du poisson cru? Berk!

Nous éclatâmes tous de rire. Les ombres s'allongeaient sur la ville. Le crépuscule approchait et les réverbères s'illuminaient, les uns après les autres. Sur le fil du téléphone, les étourneaux se livraient à leur vacarme habituel.

— Tu sais, Kathleen, faire un rêve et ne pas lui accorder d'importance revient à recevoir une lettre et ne pas l'ouvrir, non? fit Sean.

Il s'était exprimé en anglais. Soigneusement. Une phrase réfléchie.

— Je serais plutôt d'accord avec toi.
— La psychologie t'intéresse?
— Oui.

Il étendit le bras vers moi. Je m'inclinai vers lui pour lui serrer la main, et les orteils de Sophie s'enfoncèrent dans ma cuisse.

184

Luke nous observait de la porte.

— Tu as déjà fait du surf, Sean?

Nous avions récupéré la planche pour cent dollars. Trop cher, selon moi.

— Jamais. Mais ça m'apparaît fascinant.

— Ça te plairait d'essayer?

— Certainement...

Il sourit à Luke, puis écarquilla les yeux, fouillant notre habitat, comme pour saisir un autre sujet de conversation qui le rapprocherait de nous. Soudain, il annonça qu'il souhaitait me parler de Salomé. Tellement de gens étaient passés dans nos conversations, il m'en avait tellement présenté que je me demandais si ce n'était pas une des filles rencontrées à Pruniers.

— Qui est-ce?

— Salomé. Celle qui a dansé pour ce roi, Hérode.

— Ah! elle.

Il réussit à se croiser la jambe – presque un exploit pour quelqu'un assis sur le bras d'un divan. À Pruniers, j'avais dû faire des efforts pour me débrouiller en français. Ici, c'était à son tour. De lui-même, il opta pour l'anglais. Et je dois dire que son anglais était de beaucoup supérieur à mon français.

— Je suis en train d'écrire un scénario de film sur elle. L'action se passe dans les années soixante. Un homme rencontre cette fille, Salomé, et l'incite à essayer une drogue ou l'autre... Et, en fin de compte, elle accepte...

Il se leva et marcha jusqu'à une fenêtre.

— Et la fille meurt. L'homme essaie d'oublier qu'il l'a encouragée à consommer, il se refuse à avoir été la cause de sa mort, car il se sentirait trop coupable. Il essaie de se convaincre qu'il n'a rien à y voir...

Il paraissait s'adresser à la fenêtre, ses lèvres à quelques centimètres de la vitre. Il prenait son temps afin que son discours puisse émerger lentement, monter de la partie la plus calme et la plus profonde de son être.

— Mais un jour, continua-t-il...

Le chien se roula en boule sous la table à café.

— Un jour, il était dans une galerie et, à un détour de couloir, qu'est-ce qu'il aperçoit sur le mur? Une toile représentant Salomé. Et la femme, qui tenait une tête, avait exactement le même visage que cette fille dont il avait causé la mort. Mais, au lieu de tenir la tête de Jean le Baptiste, c'étaient des cheveux de femme qui se nouaient autour de ses doigts, et de sa figure émanait une jouissance perverse.

— De quelle figure? De celle de la tête qu'elle tenait?

— Non. De celle de Salomé.

— Qu'était-il advenu du corps?

— Je l'ignore, Kathleen. Qu'est-ce que tu penses de cette histoire?

Le chien se retourna dans son sommeil. Luke se rendit dans sa chambre pour regarder *Star Trek*. Le chien le suivit.

— La façon dont cet homme gérera sa culpabilité pourrait servir de catalyseur à l'action. Qu'est-ce que tu en penses?

J'avais posé cette question sans vraiment y réfléchir. Mon esprit était préoccupé par le dîner.

— Peut-être.

— Tu as beaucoup de travail en avant de toi, n'est-ce pas?

— Oui.

— Il y a une machine à écrire dans ta chambre, sur le vieux secrétaire. Là-haut, dans la chambre d'amis ou dans la chambre bleue, c'est très tranquille. Tu pourras travailler en paix.

— Ça me va.

Quelques minutes plus tard, Kim arriva avec sa contribution: du thon et des algues marines. Elle portait une jupe de soie pourpre sur laquelle voletaient des papillons orange, brodés à la main. Elle était née dans un village près de Kyōto et elle avait appris à faire du sushi sur les genoux de sa mère. Sa maison avait été hissée sur un solage plus élevé, pour un éventuel appartement au sous-sol. Notre demeure était donc posée en oblique sur une pente et les eaux usées ne s'écoulaient pas directement dans l'évier, mais par un tuyau qui traversait la porte. Kim récoltait chaque mois des montants intéressants de ses quatre locataires, mais il y avait aussi des frais, une chose ou l'autre à réparer... Elle souhaita la bienvenue à Sean en l'étreignant. Puis nous admirâmes le soir qui tombait.

— Hello! Me voilà.

Haida apparut dans le cadre de la porte, une cruche de saké chaud à la main. Sophie se mit aussitôt à l'amuser en lui racontant des horreurs sur les séances de bronzage. La veille, Haida avait rencontré Sophie et ses amies à Kits Beach. Assises sur des couvertures, elles étaient recouvertes d'écharpes et de longues robes, et de larges chapeaux recouvraient leur tête.

— Les gens étaient vraiment choqués, dit Sophie.

Haida rit. Elle s'en était aperçue. Elle jeta un coup d'œil à Sean par-dessus ses lunettes.

— Hello! Toi, tu dois être Sean.

C'était un peu comme si, enfin, mes amis venaient me voir et voir mon fils nouveau-né à l'hôpital... Nous avons placé quelques tables à café les unes contre les autres. Donna fit son entrée. Un peigne rouge retenait sa chevelure. Aux pieds, elle portait des espadrilles turquoise et, à la main, elle tenait un bouquet d'asphodèles. Des rides peu prononcées partaient des commissures de ses lèvres. Elle vivait au milieu de céramiques pastel à l'arrière de la salle de lecture de Hawks Street.

Étendu sur des coussins à même le plancher, Sean enseignait à Sophie les différentes façons de faire le baisemain et ce que chaque variante signifie. Nous l'observions, fascinés. Tim, le nouveau copain de Sophie, avait des boucles rousses et une figure préraphaélite. Pour le prochain spectacle de son groupe, ils préparaient toute une mise en scène: ils joueraient dans un décor de salle d'urgence et les musiciens porteraient des uniformes d'infirmière et des perruques. Sophie lui avait déjà acheté un uniforme en nylon – demain ils trouveraient les perruques. Elle l'avait suspendu à l'extérieur pour le débarrasser des odeurs de tabac de Value Village.

Après le repas, Haida, Donna, Kim et moi nous sommes dirigées vers la cuisine pour faire le café. Les jeunes demeurèrent dans la salle de séjour – sauf Sean qui se joignit à nous, son imperméable Burberry jeté sur ses épaules. Il retourna une chaise et y prit place, le menton appuyé sur ses coudes posés sur le dossier. Puis il laissa tomber que Sophie, Tim, quelques-uns de leurs amis et lui-même allaient sortir dans une boîte de nuit.

— C'est très bien, commenta Haida. Mais d'abord, lavez-vous bien les dents et n'oubliez pas d'être de retour avant minuit.

La drôle de façon qu'elle avait de jouer à la mère le décida à demeurer un peu plus longtemps avec nous et de se joindre à notre conversation avec la même concentration d'esprit qu'il mettait à étudier une photo ou un livre. Haida, qui est monteuse, lui promit de lui faire visiter les studios de l'Office National du Film. Cette offre me réconforta – un peu comme lorsque nous avions déménagé dans ce voisinage et que Luke s'y était fait ses premiers amis.

Puis Sean jugea qu'après tout, il était peut-être trop tard pour se rendre dans cette boîte. Il confessa par la suite être demeuré avec nous, car il avait craint de manquer quelque chose d'important. Après nous avoir écoutées parler un certain temps, il nous avoua que ce qui l'intéressait en tout premier lieu, c'étaient les insinuations, le langage caché, la dynamique du sens réel sous le sens apparent... Il nous dit avoir porté un intérêt marqué au non-dit depuis qu'il était bébé. La scansion et les intonations des adultes le fascinaient avant même qu'il ait pu saisir le sens des mots.

Lorsque j'allai souhaiter la bonne nuit à Luke, il me confia que Sean lui avait semblé à la fois étranger et très familier. Il s'était tout de même senti à l'aise pour une première rencontre. Ça lui avait rappelé un peu cette fois où il avait rencontré un acteur d'une série télévisée dans la rue; il l'avait reconnu tout en sachant qu'il ne le connaissait pas.

— Voir ce Français qui me ressemble grimper l'escalier... dit-il. Il sentait le parfum et ses vêtements avaient conservé l'odeur de l'avion – il avait réellement besoin d'une douche. J'ai aimé la façon dont il donnait la main. Je me demande comment ma poignée de main lui est apparue, à lui.

À part ces interrogations, Luke avait perdu les bas de son uniforme de soccer et me demandait où ils avaient bien pu passer... Je m'assis sur le rebord du lit jusqu'à ce qu'il se soit calmé.

Après le départ de nos invités, Sean – qui n'avait pas du tout envie d'aller dormir – et moi sommes sortis pour promener le chien dans la douceur du soir. Nous sommes passés devant les bungalows de stuc, et, au coin de la rue, nous sommes revenus sur nos pas. Il avait aimé mes amies. Il avait trouvé Kim très gentille. Haida unique. Donna belle et réservée. Je ne pouvais qu'être d'accord.

De retour à la maison, il s'assit à la table de la cuisine. Peu importe mon désir de me retirer pour la nuit, il voulait discuter.

— Je voulais te demander, Kathleen... À quelle heure suis-je né exactement?

— Autour de midi. Au début de l'après-midi.

Je suspendis la laisse du chien.

— Tu n'as pas noté l'heure?

— Non.

— C'est important, tu sais, pour la carte astrologique.

— Entre douze heures trente et quatorze heures. N'est-ce pas assez précis?

— Pas réellement. J'ai toujours cru que j'étais né tard en soirée ou à l'aube.

— C'est ce que tu aurais souhaité.

— Ça n'a pas d'importance.

Il tombait de fatigue mais continuait à converser. Depuis combien de temps habitais-je cette maison? Lorsque j'étais enfant, étais-je allée à l'école près de cet endroit? Il avait parfois de la difficulté à exprimer ses interrogations mais ne cessait d'essayer.

— Si on allait dormir, chéri? Nous avons deux semaines pour bavarder. Je t'aime, Sean.

— Je t'aime, moi aussi, Kathleen, dit-il avec de grands yeux.

Pour une raison ou pour une autre, il ne voulait pas mettre un terme à la conversation. Il demeurait assis là, les jambes repliées. Il ressemblait à un nain de jardin. Je passai mon bras autour de ses épaules et, enfin, il déplia les jambes et se décida à se diriger vers la chambre bleue. La fenêtre était entrouverte et son lit l'attendait.

Au matin, Luke lisait les bandes dessinées du samedi, installé sur son lit en désordre. À l'extérieur, l'automne amoncelait ses premières brumes. Au milieu de la rue, des enfants jouaient à la crosse. La brume était si épaisse que je me demandais comment ils pouvaient apercevoir les buts et la balle.

—Plutôt de bonne heure! commentai-je.

Selon son habitude, il aurait dû être dans la rue. Mais, ce matin-là, il me suivit dans la cuisine en se traînant les pieds – il avait passé des chaussettes de couleurs différentes; il tirait des fils de son peignoir en tissu éponge. Dans une robe de chambre d'un blanc immaculé, Sean était déjà là. Il agitait des céréales dans de l'eau bouillante.

— Qu'est-ce que tu fais là, fiston?

Je me sentais beaucoup plus à l'aise avec lui depuis qu'il était sur mon terrain. La situation était délicate. Mais, si on y mettait un peu de bonne volonté, il s'adapterait assez facilement à la vie familiale.

— Ça ressemblait à de la nourriture, répondit-il. J'ai alors décidé de cuisiner.

— On peut faire mieux.

Sophie et moi étions arrêtées chez Pohl sur le chemin de l'aéroport et avions acheté des croissants à son intention. Je les plaçai sur la table.

— Maman, qu'est-ce qui serait arrivé si Sean et Sophie s'étaient rencontrés sans savoir qu'ils étaient frère et sœur? demanda Luke entre deux bouchées. On lit souvent des histoires du genre.

— Sean, tu devrais téléphoner à tes parents. Pour leur faire savoir que tu es à destination et en sécurité.

Je repliai le journal et m'engonçai dans ce samedi matin douillet en compagnie de tous mes enfants. Un peu plus tard, nous pourrions peut-être sortir et ratisser.

— Évidemment que je vais leur téléphoner.

Sophie descendit, formes anguleuses dans sa robe de nuit. J'étais très heureuse qu'elle soit revenue habiter avec nous. Elle ouvrit le réfrigérateur, puis le panneau du congélateur.

— Où mes souris roses sont-elles donc passées?

— Elle veut dire ses mousses roses, en fait, ajouta Luke. Elle les fabrique dans des moules à esquimaux en forme de souris et elle les mange toutes.

Il plaça la main devant sa bouche et dit d'une voix étouffée:

— Je les ai toutes mangées...

Sean tenta de téléphoner à Paris. Pas de réponse. Il ne comprenait pas. À cette heure, ils auraient dû être à la maison.

Sophie rabattit les pans de sa robe de chambre et opta pour un croissant.

Sean était de plus en plus inquiet. Il ne cessait de téléphoner.

— Tu pourrais réessayer un peu plus tard.

— Non, je dois les rejoindre maintenant.

— Le vent devrait s'élever aujourd'hui, Sean. Nous pourrions aller faire de la planche à voile, suggéra Luke.

Il regardait par la fenêtre et espérait que la brume se dissipe. Un soleil pâle tentait de percer.

— On a des courses à faire aujourd'hui, chéri. Tu pourrais peut-être remettre ça.

— Sean pourrait conduire, rétorqua Luke.

Une heure plus tard, Sean avait enfin Loesic et Jean-Paul au bout du fil.

— *Bonjour. Bonjour. Elle va bien. Vous allez bien?*

Ils allaient bien. Il allait mieux. Nous allions donc tous bien.

Sean raccrocha, puis il se dirigea vers le living pour placer une cassette de Mozart dans l'électrophone. Il revint dans la cuisine et se mit à la vaisselle.

— Merde, lança-t-il soudain en refermant l'eau.

On avait manqué le début de la pièce musicale. Il retourna à l'électrophone pour rembobiner. Puis il accumula questions et commentaires: Avions-nous un vélo? Y avait-il une *cinémathèque* dans les alentours? N'était-ce pas formidable que les maisons de la rue soient différentes les unes des autres? N'était-ce pas merveilleux la façon dont les montagnes semblaient toutes s'aplatir au crépuscule – alors qu'elles présentaient des formes différentes dans toutes les teintes de bleu quelques minutes auparavant? Il aimait notre cuisinière et notre réfrigérateur; ils n'avaient pas ces sortes d'appareils en Europe. Qu'allions-nous faire ce soir? Nous devions en faire beaucoup chaque jour, car il n'était avec nous que pour deux semaines – il devait d'ailleurs voir à ses réservations sur-le-champ pour obtenir au meilleur prix un billet pour New York où il se rendrait visiter Gilbert et Fred. Est-ce que je me souvenais d'eux? Ils étaient à la fête à Pruniers...

— Tu veux vraiment connaître la façon la moins chère de te rendre à New York? demanda Luke.

— Certainement.

— Tu as vu nos montagnes?

— Tu me le dis...

Son anglais s'était grandement amélioré.

— Tu grimpes au sommet du pic le plus haut. Et, au printemps, après la fonte des neiges, quand les rivières seront gonflées par les crues, tu vas te cramponner à un radeau et laisser les courants t'entraîner gratuitement jusqu'aux États-Unis.

— Une merveilleuse suggestion.

Il s'empara du couteau de Sophie et enduisit son croissant de confiture de mûres.

— C'est excitant en plus.

— Je le gagerais...

— Je dois me rendre au magasin, Sean, dit Sophie. Tu m'accompagnes?

— Avec plaisir.

Sa figure s'illumina. Elle lui avait demandé de faire quelque chose en sa compagnie. En se levant, avant de sortir, il se tourna vers Luke:

— Demain, on va aller faire de la planche à voile. Tu veux m'apprendre?

— Certain.

— Sophie, Sean, emmenez le chien.

— Ce n'est pas un chien, c'est un kangourou, me répondit-elle du haut de l'escalier.

— Peu importe, emmenez-le.

Juste avant de nous quitter, ils s'immobilisèrent sur le balcon, et s'agrippant à la rampe d'une main, ils se penchèrent, tenant, de l'autre main, un télescope invisible à la hauteur de leurs yeux.

— Terre! Terre!

— Vous dites?

— Ne serait-ce pas la France?

— *La France est perdue.* Contentons-nous de dire qu'il s'agissait d'une charmante demoiselle et que je voulais profiter de l'occasion pour lui faire entendre des galanteries...

Le lendemain, nous roulions le long de Jericho Beach. Cette plage fait face à la rive nord et à l'île Bowen. Nous empruntâmes le chemin le plus long, de l'autre côté de l'université. Je voulais montrer à Sean la baie et la vue sur les montagnes. Nous nous rendions chez ma mère pour le déjeuner qui allait mettre en vedette sa fameuse tarte aux fraises glacée. Elle était convaincue que Sean l'apprécierait, car c'était très français.

— Comment ça, français? avais-je demandé.

— Il y a du caramel à la cannelle sous les fraises, c'est ça qui est français.

— Tu m'en diras tant...

— Je crois que Sean va aimer deux choses chez moi: ma Citroën et ma tarte aux fraises.

J'expliquai à Sean que cette longue bande de sable et de rochers qui bordent la mer permettait aux habitants de notre ville de vivre en ville tout en se sentant un peu dans la nature. J'expliquais, mais c'était si évident dans cette partie de Vancouver qu'il pouvait s'en rendre compte lui-même. Mais il était moins intéressé par les agréments du voyage que par l'apprentissage de mots galants à dire en anglais. Il semblait enregistrer les renseignements quelque part au cœur de sa psyché, de façon à pouvoir y faire appel et à les remâcher quand il le jugerait bon. Ce n'était pas qu'il trouvait les informations inutiles, mais il voulait en disposer selon son bon plaisir.

— Tu t'es déjà rendue à Montréal, Kathleen? Je connais cette métropole à travers un film: *Les liens du sang* de Claude Chabrol. Ça m'a paru un endroit fascinant.

Sophie et Luke prenaient place à l'arrière. Comme d'habitude, ils regardaient dans des directions opposées. Leur musique intérieure avait toujours été très différente.

Nous avons marché sur le terrain plat qui longe la limite des hautes marées à Wreck Beach. De là, nous pouvions apercevoir la grappe des gratte-ciel du centre-ville qui semblaient flotter sur l'eau – comme un mirage, comme Isfahan dans le soleil. Entre nous et les montagnes, l'eau paraissait presque absente; il n'y en avait pas suffisamment, à en croire ses yeux, pour que les cargos à l'ancre dans la baie puissent y mouiller. La brume s'était dissipée et les goélands dessinaient de larges cercles en altitude. Des voiliers louvoyaient sous le vent, comme des flèches blanches et, fort probablement, Luke se voyait sur l'un d'entre eux. Nous nous sommes assis sur des rochers où s'agrippaient moules et escargots de mer, pour essuyer nos pieds et remettre nos chaussures avant de remonter dans l'auto et d'entreprendre la courbe qui grimpe la colline de l'autre côté de Wreck Beach. Le visage de Sean ne reflétait plus la fatigue du voyage.

— Tu sais, ce n'est pas facile d'exprimer une phrase comme «J'aurais voulu lui dire des galanteries» en anglais. On dirait plutôt des choses comme «Cette fille m'attirait...».

Je stoppai à un coin de rue et activai le clignotant arrière.

— Tu n'as pas une meilleure manière de le dire?

— Peut-être. On pourrait dire: «C'était quelqu'un à qui j'aurais bien aimé faire des avances...»

— Ce n'est pas ce que ça signifie en français. Autrement dit, en français, il y a un sens *sous-entendu* que je ne retrouve pas en anglais.

— Je présume que nous n'avons pas d'équivalent.

— Tu peux trouver une image.

Nous bifurquâmes. Nous pouvions maintenant voir l'océan entre les arbres de la forêt. Je me demandais quelle allée il préférerait, quelle plage.

— Sans doute, je pourrai trouver une image. Mais ce que je veux dire c'est qu'en anglais, c'est plus difficile de trouver une image ou une phrase qui apparaisse naturelle. En français, il y a plusieurs façons d'exprimer la même chose. Ça rompt l'intimité, cette difficulté d'exprimer un sentiment complexe en anglais. En anglais, les sentiments sont exprimés en noir ou blanc. Il y a moins de *sous-entendus*. Les galanteries ou les compliments sont plus explicites.

Sophie et Luke semblaient s'être assoupis.

— Très bien.

Il tenait à son opinion, mais il était résigné.

— De toute façon, c'était de mon autre amie dont je te parlais, celle d'avant Christina, Sophie...

— Je ne savais pas qu'il y avait une autre Sophie dans ta vie.

— Il y en avait une...

Il dit cela en tordant une moustache imaginaire qu'il ne portait pas – il parodiait les mélos.

Il jeta un coup d'œil à sa sœur qui le frappa du poing sur le bras. Il sourit.

— Kathleen, tu sais ce que sont des *points d'ancrage?* Tu sais, quand les bateaux arrivent dans un port, c'est là qu'ils s'immobilisent.

— Tu veux dire un endroit où jeter l'ancre?

— Tu l'as. Eh bien, Gilbert en a trouvé un chez son ami Fred. C'est le *newyorkais* (sic) que je vais visiter à mon premier passage dans cette ville. Par exemple, dans cette seconde vie dont j'essayais de te parler, il y avait ce Fred. Il *était assez petit, trapu, très drôle, il avait en plus un charme irrésistible.*

— Très drôle et enjôleur?

— C'est ça. Petit mais robuste. J'ai appris et compris par la suite qu'il était *à voile et à vapeur*.

— Tu veux dire qu'il nous leurrait?

— Non qu'il était *bisexuel*.

— Il était quoi?

— *Bisexuel*. Vous n'avez pas de mot pour ça? Ça signifie que parfois il couche avec une femme, parfois avec un homme.

— Oh! Bisexuel?

— *Était à voile et à vapeur* est une autre façon d'exprimer cette réalité. *Leurs chevauchées* étaient bien connues au château. Tu ne les as pas entendues, la nuit de la fête?

L'auto grimpa la colline. La chaleur nous écrasait. L'asphalte collait aux pneus. Les gazons étaient frais coupés et les arrosoirs en action.

— *Leurs chevauchées*? N'est-ce pas monter un cheval?

— Exact. Et ça veut dire aussi faire l'amour. Tu connais ce film américain, *La chevauchée fantastique*? C'est un film sur l'équitation... Sur un cheval et dans le lit. Voilà...

— Nous sommes arrivés chez grand-mère, dit Luke qui émergeait de son assoupissement.

L'auto l'endormait et il souffrait du mal des transports.

Nous nous sommes garés devant une maison à volets et proprette. Les contours des portes et fenêtres étaient peints en blanc. Les bégonias se tenaient en rangs disciplinés au fond du jardin; des géraniums roses jouxtaient l'escalier de briques. D'ordinaire, les enfants se précipitaient, puis attendaient que maman leur ouvre la porte et les accueille chaleureusement. Cette fois, Sophie attendit Sean et le présenta avec une certaine gravité.

— Comment allez-vous, Sean?

Ma mère était bronzée et paraissait encore plus mince dans son vêtement rose de vichy. Sean se pencha et lui fit la bise sur les deux joues. Elle en fut un peu surprise, mais sourit néanmoins. Pendant le déjeuner, elle fut charmante et pleine d'esprit. Elle montra de la classe. Elle le fit asseoir à la place de papa au bout de la table et, même, elle lui dit: «*Passez le beurre.*»

On ne trouvait pas de photos de Sean parmi celles de ses autres petits-enfants sur le secrétaire de la salle à manger. Non qu'elle n'en possédât pas, mais elle aurait considéré cette appropriation ouverte irrespectueuse envers les Richter. Je présumais également qu'elle aurait pu trouver fastidieuses les explications qu'elle aurait dû fournir à ses amis. Je le surveillais pendant qu'il avalait un potage aux concombres. Il avait certainement noté que sa photo n'était pas sur le meuble, mais il gérait la situation avec élégance. Le déjeuner fut agréable. Puis nous avons dû nous plier à l'incontournable visite du jardin, pendant laquelle nous avons décidé de nous revoir sur Bowen Island le samedi suivant – probablement la dernière fois de la saison. Nous franchissions la porte lorsque mère dit à Sean:

— Ma foi, tu ne ressembles pas du tout à ta mère.

Sur le chemin du retour, Sean en profita pour me mettre au courant de ce qui s'était passé entre lui et Christina après mon départ. Son voyage en Angleterre, je le devinais, avait été un peu perturbé: il venait tout juste de faire la connaissance de sa mère biologique et il se devait de voyager avec son *anglo-français.* En approchant des côtes britanniques, il souffrit d'*une angoisse étouffante*, indéfinissable... Il ne pouvait l'expliquer.

— Un sentiment envahissant, expliqua Sophie de l'arrière. Nous devons aussi arrêter au Sept-à-Onze pour acheter du jus...

— Mais à la fin, termina-t-il, j'ai développé une relation positive avec la capitale du rosbif. Où on va maintenant?

— Chez nous.

— Oh! À la maison.

L'auto était à peine immobilisée, que Sophie et

Luke grimpaient l'escalier. Sean demeura avec moi pour m'aider à entrer le fruit de nos courses.

— En vérité, Kathleen, je n'ai pas réellement d'amie dans le moment. C'est terminé avec Christina. J'ai des problèmes avec mes relations amoureuses. Je m'y implique trop... Tu te souviens avec Christina? Je n'ai pas été tellement gentil avec toi après son arrivée à Pruniers.

— Ne te tracasse pas.

— Tu es certaine?

— Ça n'a pas d'importance.

— Ce pour quoi je me sens prêt maintenant, c'est une relation ouverte avec Sophie, avec ma sœur... Depuis que je t'ai rencontrée, je me sens plus à l'aise avec elle.

— Ça a du sens.

J'en étais maintenant sûre, il me ressemblait davantage que mes autres enfants. Il avait de la difficulté à appréhender avec justesse la réalité. Il avait tendance à idéaliser les gens, à projeter... Pas du tout comme Sophie. Elle gardait toujours les deux pieds sur terre et une juste perspective – même si elle ne le laissait pas toujours voir.

Le ciel se chargeait de nuages lourds et noirs. La pluie commença de tomber.

— Et toi, Kathleen? Ta vie?

— Oh moi...

Je m'apprêtais à descendre. Je m'arrêtai et fixai le tableau de bord.

— Je ne m'en tire pas mieux que les autres. Ce n'est pas facile la solitude, vieillir seule...

Tout d'abord je crus lire de la tristesse sur son visage, mais il se tourna vers moi et me dit:

— Je suis là.

Je souris et ramassai les sacs.

— Je le sais, Sean. Et tu es très important pour moi.

Nous grimpions l'escalier lorsque, au risque d'avoir l'air pédante, je me résolus à offrir un conseil.

— On m'a donné un truc un jour. Un truc qui permet d'éviter la dépendance affective, d'être trop accroché à son amant ou à son amante, pour employer ton vocabulaire.

— Tu as vraiment un truc? C'est quoi?

Il se retourna et faillit laisser tomber les sacs qu'il portait sous son bras.

Les lumières brillaient à l'intérieur. Les Pogues emplissaient la maison de leur musique. Sophie était au téléphone. J'appuyai mes sacs sur le poteau au bas de l'escalier.

— Quand tu sens que quelqu'un envahit ton espace intérieur au point que tu ne t'appartiens plus, tu te dois de prendre du recul et de te demander à toi-même: «Qui est cette personne? Qu'est-ce qu'elle cherche?» On me l'a conseillé comme un exercice qui empêche ses propres besoins de nuire à la clarté de son jugement.

Son regard m'exprima qu'il ne pouvait même songer à prendre une telle attitude.

— Je ne pourrais jamais faire ça.

Je soupirai et repris mes sacs.

— Ce n'est évidemment pas facile.

Après le souper, il m'emprunta ma carte de la cinémathèque Pacific. Sophie et lui allaient y voir *The Scarlett Empress*. Il déclara à Sophie qu'elle avait l'air d'une véritable Parisienne avec son chandail orange, sa courte jupe noire et ses talons hauts. Il confessa aimer la façon dont les prostituées s'habillaient et ces vêtements que l'on trouve dans les magasins de Pigalle. Elle me confiera par la suite qu'il lui était apparu plus détendu, plus amusant.

— En tout cas, il a saisi mon humour vestimentaire...

Le lendemain, il sortit en exploration à bicyclette. Il revint enchanté:

— Il y a des plages partout autour de cette ville.

7

Malgré la pluie, la fête pour l'anniversaire de ma mère et en l'honneur de Sean se déroula très bien. Il n'y a qu'environ dix minutes de marche du débarcadère au cottage. Habituellement nos invités garent donc leur auto à Horseshoe Bay, marchent sur le ferry-boat et salissent nos linoléums – dont les motifs tentent de créer l'impression du bois franc – de sable et d'aiguilles de pin qui ont collé à leurs semelles. Nous étions les seuls à être montés sur le traversier avec notre véhicule. La planche que nous transportions quille en l'air nous y forçait.

Ma mère, en principe, aurait dû se laisser recevoir – c'était son anniversaire, après tout. Mais, aussitôt sur les lieux, elle avait commencé à extirper de vieux imperméables des placards du grenier, au cas où quelqu'un aurait voulu faire une promenade. La pluie était trop fine pour l'apercevoir autrement qu'avec l'écorce des arbres comme écran de fond. La chaise jaune en osier, qui jouxtait le garde du porche, faisait face à la mer, dans la position exacte où je l'avais laissée.

Maman trouva un récipient à placer sous l'auvent du porche arrière qui dégoulinait. Sean – à qui personne n'aurait pu en remontrer sur les bonnes manières – retira son Burberry, sous lequel il portait une chemise de soie coupée sport, et versa du Seven-Up aux plus jeunes. Il porta également un verre à mon oncle qui vérifiait le mur de soutènement qu'il avait édifié avec du ciment et du bois de plage.

Ma sœur arriva de l'autre côté de l'île. Sur le pare-chocs de sa jeep, on pouvait lire: «Si vous aimez Jésus, klaxonnez!» Avec son visage candide, elle s'approcha de Sean avec l'empressement chaleureux de toute tante qui rencontre pour la première fois un neveu qui habite outre-mer. Ma famille semblait à l'aise avec lui et paraissait l'adorer. Il avait tellement l'air d'un Haggerty. Sean se comportait avec naturel; il acceptait tout cela.

Les deux filles adoptives de mon frère et de ma belle-sœur étaient là également. Elles contemplaient les arbres qu'aspergeait la pluie. Je n'avais de cesse de me demander quelles questions la présence de Sean soulevait dans leur esprit. Une de mes nièces servait le gâteau. Quand vint le temps de souffler les bougies, elle se dirigea vers Sean au lieu de se diriger d'abord vers ma mère. Je l'arrêtai et la replaçai discrètement dans la bonne direction. Dans un murmure, elle me confia trouver Sean vraiment charmant.

Ma tante posa son sac de cuir sur le comptoir, redressa les épaules qu'elle avait bien rondes et sortit un manuel qui contenait des phrases en français. La pluie avait rafraîchi le temps. Assez pour allumer un feu. Je suspendis un bouquet séché d'immortelles près de la reproduction cartonnée d'un paysage marin.

Sean et Luke passèrent des espadrilles trouées au bout et descendirent jusqu'à la grève rocheuse pour pousser la planche à voile sur les eaux de la baie. Tous se réunirent sur la véranda pour les observer. Luke sauta sur l'esquif, pliant les genoux et poussant du talon, jusqu'à ce que la planche prenne la bonne inclinaison et démarre. Sean applaudit et fit signe à Luke qu'il souhaitait essayer. Il tentait de suivre les instructions de son frère, mais il éprouvait des difficultés. Le vent n'était pas assez fort et Sean ne pouvait garder son équilibre. Luke suggéra une autre plage – hors de notre vue du cottage – où il pourrait essayer de nouveau, mais Sean refusa. En fin de compte, il réussit à contrôler la planche de façon adéquate, trouva son équilibre et fendit les vagues vers le large dans un cri de triomphe. La brume se leva et les eaux s'irisèrent de mille soleils. Après quelques minutes d'euphorie, il perdit l'équilibre et heurta l'eau dans un bouillon d'écume. Luke le rejoignit à la nage et ils chevauchèrent la surface en duo. Heureuse, je les observais et notais tous les détails. Je savais que je me repasserais ce film des centaines de fois...

Un peu plus tard, Sean se retrouvait assis sur la rampe de la véranda. Il discutait avec Sophie. Tout en parlant, il caressait de la main la branche d'un cornouiller qui ombrageait le mur extérieur. Il aimait à se serrer contre elle quand il lui parlait. Il lui tenait la main, se penchait vers elle. Mais Tim était aussi présent... Sophie faisait de son mieux pour diviser son attention entre les deux jeunes hommes. De quoi lui donner un torticolis.

Maman, mon oncle et ma tante déambulaient le long du cottage et discutaient de la possibilité d'étendre la véranda au-dessus de l'accore et d'installer une porte en verre entre la véranda et le bas-côté de la cuisine. Vraisemblablement, ma mère ne reviendrait pas avant son prochain anniversaire – et alors, ils rediscuteraient du même projet. Un peu plus tard, elle descendit à la plage et prit place sur son rocher – il était le sien depuis qu'elle était petite fille. Elle s'y assit, un bras entourant un de ses genoux, dans la position classique de la baigneuse. Ses cheveux gris flottaient au vent, s'effilochaient de son chignon. Son surtout rose saumon ressortait contre les couleurs mates de la pierraille.

— À ta prochaine visite, Sean, fit-elle en montant dans l'auto de ma tante, viens avec tes parents.

La pluie continua toute la journée du lendemain. Je suspendis les habits de bain, qui avaient presque séché pendant la nuit, à la grille devant le foyer. Pendant un certain temps, ce matin-là, il sembla que la couche nuageuse ne représenterait peut-être pas autre chose qu'un peu de brouillard. À quelques reprises, les branches du cornouiller s'élevèrent et s'abaissèrent. Quelques lambeaux bleus apparurent au-dessus du rivage au loin. Un étranger aurait pu les prendre pour des éclaircies, pour une embellie à venir.

— Le temps s'améliore, dit Sean.

— Ne pense pas ça. En montagne, c'est ainsi.

De nouveau, le ciel se couvrit. La résidence d'été de ma famille est un ancien cottage de la Union Steamship Line construit en queue d'aronde. On en trouvait plusieurs sur cette île. La compagnie les utilisait au temps où elle faisait du cabotage le long de ces côtes. Presque tous nos meubles provenaient de l'ancien hôtel qu'on avait détruit. À l'arrière, on trouvait un treillis qui supportait un chèvrefeuille – à cause de l'ombre, il n'avait jamais atteint sa maturité.

Dans l'après-midi, nous nous installâmes près du foyer pour ressasser des souvenirs de famille. Sophie puisa dans ses lettres. Sean, tout en dactylographiant, nous racontait des anecdotes sur Pruniers – sa *demeure mauresque*, comme il la désignait. Pruniers était si vieux qu'on ne pouvait s'empêcher de se remémorer tous ces *personnages fabuleux* qui y avaient vécu. Certaines tribus autochtones affirment qu'une personne doit rencontrer ses ancêtres morts lors de son initiation. Sean était d'accord avec cette croyance. Ses amis et lui-même avaient rencontré les anciens habitants du château et ces rencontres leur avaient apporté *l'étincelle essentielle de la connaissance de soi*, cette connaissance intime de la mort qu'un humain acquiert en dormant dans le lit de quelqu'un qui y est décédé.

Je regardais par-dessus son épaule et je murmurai:

— *C'est ainsi que débuta...* Ça veut dire... Laisse-moi essayer: C'est le début de leur histoire?

— Ça ressemble à ça. C'est le début de l'histoire des étés. *La saga des étés.*

— Saga! Nous avons ce mot.

— Ainsi tu le connais.

— Oui. Et *j'atteignais.* C'est quoi en anglais ?

— «Reached.»

— Tu venais d'atteindre l'âge de quatre ans et tout allait bien?

— Exact.

C'est à cette époque, raconta-t-il, que de nombreux jeunes gens étaient venus à Pruniers pour aider à la restauration. Surtout après les révoltes étudiantes de mai 68. Ces jeunes étaient un peu désorientés et voulaient prendre du recul, se retrouver et décider ce qu'ils allaient faire de leur vie. Ils s'étaient rendus à Pruniers parce que – et c'était l'opinion de tous – rien n'était plus sécurisant que maman et Pruniers.

— En effet. Sean, *déblayer,* enlever des choses inutiles, nettoyer, est-ce que c'est la forme verbale de *déblaiement?*

— Tu l'as.

— Et *enfouir sous des ronces?* Ronces, c'est la même chose que prairie?

— Non, non. Des ronces, c'est épineux, tu sais. Comme les roses.

Il essayait d'attirer l'attention de Sophie, mais cette dernière, jambes étendues sur un bras de fauteuil fleuri, était absorbée par ses lettres. La marée baissante libérait la moitié de l'estran. Des oursins, des escargots de mer et des coquillages bleus ornaient les rochers. Tout respirait le calme et l'immobilité.

— Et *des gravats,* tu sais, les pierres, *La Belle au bois dormant.* Cette beauté qui dormait dans la forêt...

— C'est quoi un *trou?*

— «Hole» en anglais.

— À gauche et à droite de cette beauté, on apercevait des *lézards*. C'est un revêtement sur les murs?

— Non, un animal.

— Comme un «lizard»?

— Oui, c'est ça.

— Tu sais, quand on regarde un arbre branchu, on y voit ces formes, des formes qui ressemblent à des lézards – c'est bien ça? Et lorsque les murs sont lézardés, qu'on y retrouve des trous, ça s'appelle comment? Tu sais, ce mot que tu cherchais?...

— Fissure. Pour en venir à cette restauration de Pruniers, quand ils ont déblayé, tu ne te sentais pas de trop? Une nuisance?

— Pas du tout. Pourquoi? J'aidais. Ce dont je me souviens – et je t'en ai parlé – c'est que maman m'a acheté une brouette et j'allais et venais, transportant des pierres, comme tout le monde. C'est tout ce qu'on a fait pendant des semaines. Puis maman m'a acheté un«chevral»...

Il me passa le dictionnaire.

— Oh! un chevreau. En anglais, on appelle ça un «billy-goat». Tu l'as placé dans ta brouette, lui aussi? Tu l'as fait, j'en suis certaine. Je te vois très bien aller et venir avec ta brouette et ton chevreau.

— Non, Kathleen. Il était trop gros.

— Ce n'était pas un jouet?

— Non, il était réel. C'était mon ami.

— Oh, je n'étais pas au courant...

— Il y a beaucoup de choses dont tu n'es pas au courant... lança Sophie d'une voix criarde.

Plusieurs goélands se laissèrent choir, l'un après l'autre, sur les rochers. La baie s'élargit alors que la marée montait.

— Mais il y a eu *quelques moments de crise* qui m'ont montré que l'adoption ne se vit pas toujours sans problèmes. Au début de mes enfants...

— ...de ton enfance? corrigeai-je avec gentillesse.

— De mon enfance... Certaines personnes ne comprenaient pas les problèmes émotionnels que je vivais. Voudrais-tu lire et traduire, Sophie?

Elle s'empara d'une des lettres.

— Voyons où est ce passage. Ah! voilà.

«En vérité, plus tu t'approches de tes parents et plus tu penses qu'à vous trois vous formez une vraie famille partageant le même sang – ce qu'on doit faire pour développer un sentiment de sécurité – plus il devient difficile de parler de l'adoption, de la réalité des origines de la personne adoptée. Mais si on évite ce sujet, l'illusion volontaire entretenue devient malsaine, nocive... L'adopté et ses parents doivent vivre sans cesse dans cette dissonance cognitive, à l'intérieur de cette situation problématique qui ne peut se résoudre... Cette réalité de l'adoption et celle de la formation d'une cellule familiale viable se combattent sans interruption dans la psyché de toutes les personnes impliquées dans ce drame. Il en résulte un sentiment semblable à celui que je ressentais lorsque, à l'école, je me livrais à de longues divisions et que le maître m'interrompait, soulignant que j'avais erré ici ou là.»

Elle s'arrêta de lire et posa enfin son regard sur lui.

— C'était comme ça, Sophie, laissa-t-il tomber.

— Je sais, fit-elle.

Elle reprit sa lecture lentement, en détachant bien ses mots.

«Quelques jours seulement avant la fête estivale de cette année, je m'éveillai en espérant la venue de Christina – un sentiment de tristesse m'avait envahi car je n'étais pas sûr qu'elle viendrait. Mais quand je jetai un coup d'œil par la fenêtre du grenier, tôt ce matin-là, j'aperçus Fred et Gilbert qui se tenaient debout dans la cour, une tête de cerf sous un bras et *un sac à dos démodé* sur l'épaule. Gilbert avait acquis ce trophée à Londres et l'avait ramené en guise de plaisanterie. La timide Mickey – celle qui portait toujours des t-shirts Mickey Mouse de couleurs différentes – les suivait de près. Ils firent irruption en claquant la porte. Gilbert était furieux. Il expliqua qu'ils revenaient tout juste de Londres à Paris et qu'ils étaient épuisés. Ils se préparaient à prendre du sommeil lorsque Mickey avait surgi pour leur confier qu'elle venait tout juste d'apprendre à son époux que Gilbert était son amant – en fait, il n'était en rien son amant: tout juste une fantaisie de la part de Mickey... Mais son mari l'avait crue et il était dans une rage effroyable. Aussi les avait-elle convaincus de sauter dans le prochain train pour Pruniers. Ils jetèrent leurs bagages sur la table de la cuisine. Selon leur habitude, ils s'étaient arrêtés au village pour cueillir le courrier. Gilbert remit à maman une lettre. Elle l'ouvrit et marcha jusqu'à la fenêtre pour la lire.»

J'étais un peu perdue.

— C'est bien de Mickey dont il s'agit. Pas de la Niki que j'ai connue.

— C'est ça. Il s'agit bien de cette Mickey, m'assura Sophie.

Ils se regardèrent et dressèrent les sourcils.

— C'est cette femme qui travaillait à une robe sur un mannequin quand tu as passé ta première nuit à Pruniers, Kathleen, expliqua Sean.

Sophie reprit sa lecture:

«Maman se tourna vers Gilbert qui la regardait intensément, comme s'il avait voulu connaître le contenu de la lettre. Maman lui dit qu'elle lui en parlerait plus tard et que, pour l'instant, ils avaient tous les trois besoin de sommeil. Après cet épisode, les choses ont pris une dimension éclatée. Fred et Mickey voulaient faire l'amour à Gilbert. Après trois heures de caresses, de cris, de supplications et de paranoïa dans la bibliothèque, ils en arrivèrent à un compromis: ils dormiraient tous les trois dans le même grand lit – Mickey pleurait à fendre l'âme et Gilbert ne voulait pas qu'elle dérange tout le château. Le lendemain, Gilbert se mit en frais de préparer sa fameuse *recette du remède contre le chagrin d'amour*. C'était en fait pour moi. Christina me manquait cruellement. De même pour Mickey. Il fit fondre des carrés de chocolat noir dans un récipient en cuivre et il y ajouta de la crème de noix. Il était sur le point de terminer, lorsque le téléphone a sonné. Gilbert a répondu, en pressant le combiné sous son menton et en continuant à tourner sa préparation culinaire de l'autre. Il s'agissait d'un interurbain et il a crié à maman de venir répondre...»

— C'était toi, Kathleen, fit Sean.

— C'était moi? C'était moi alors?

— Exactement. Et c'était loin d'être le moment idéal pour surgir dans ma vie. Je venais juste de m'empiffrer de l'infecte mixture de Gilbert. Cette recette vous rend tellement malade que vous en oubliez votre chagrin d'amour ou autre...

— Je comprends...

— Tu te souviens, Kathleen, de cette fille, Pichia, qui était à la fête? Je me rappelle que jadis son père me faisait très peur parce qu'il hurlait tout le temps. Je l'avais revu deux ans plus tôt et je l'avais cette fois trouvé plutôt comique quand il criait parce qu'il était de petite taille. Et dire que je l'avais toujours trouvé terrifiant...

— Et immense? fit Sophie.

— C'est exact.

Je pris la lettre des mains de Sophie, traduisant lentement les mots de Sean.

— C'est donc à cause de cette fille, Pichia, que tu étais triste? *Chagrins?*

— Oui.

«Au tout début, c'était *un jour tout de go alors que je*

209

venais... (sic)» Je tentais de ne pas traduire littéralement en cours de lecture, mais plutôt de saisir intuitivement le sens.

— Lorsque tu as su que tu avais été adopté, tu as voulu venir à Vancouver sur-le-champ? C'est bien ce que tu veux dire?...

— Pas du tout!

— Excuse-moi. J'avais cru...

— Ça va. Mais ce que je voulais dire par *tout de go alors*, c'est sans détour. Écoute...

Il s'avança jusqu'à glisser ses genoux sous la table.

— Je te dis sans détour que je me rendais voir cette fille, Pichia, qui, d'une certaine façon, jouait un peu le rôle de Sophie dans ma vie. Je t'explique comment elle et moi, lorsque nous étions enfants, avions connu des moments fort agréables dans les toilettes à découvrir réciproquement nos corps. Mais, comme la chose arrive fréquemment avec les gens qu'on aime le plus, la personne qui est ta plus grande source de joie est simultanément ta plus grande source de tristesse. Un jour j'ai lancé à Pichia qu'elle pouvait toujours se vanter, j'aurais toujours la meilleure part, étant donné que j'avais deux mères et qu'elle n'en avait qu'une. Alors elle m'a dit: «Tout ça est faux. Ta première mère t'a abandonné.» Je me suis mis à pleurer. Maman est entrée et a tenté de me consoler en me disant que c'était faux, que tu pensais toujours à moi... Mais tu sais, quand tu es un enfant, ce que vous dit un autre enfant a beaucoup plus de poids que ce que dit un adulte. À vrai dire, à la minute où j'ai aperçu ta figure, Kathleen, j'ai su que c'était maman qui avait eu raison, mais tout de même la déclaration de Pichia...

— L'avait marqué, compléta Sophie.

— C'est ça. Tu comprends, Kathleen?

— Évidemment. C'est très compréhensible.

J'étendis le bras pour lui toucher l'épaule. J'étais

très bouleversée. Je me rendis à la salle de bains où j'échappai un verre dans l'évier et le cassai. Je ramassais les morceaux quand Sean est entré. Nous voulions en finir avec cette question de traduction.

— Ce qu'il nous faut faire, dit-il, c'est examiner les suites de l'histoire. Après cet incident avec Pichia, quand mes parents avaient une sortie, j'insistais toujours pour les accompagner, peu importe où ils allaient. Ils m'avaient promis que je pourrais m'étendre sur le lit de cette chambre où les invités déposaient leurs manteaux. Mais j'avais peur. J'avais peur qu'ils m'abandonnent ou m'oublient là. Je tenais absolument à m'étendre à leurs pieds.

— Tu es en train de m'expliquer que quand tes parents allaient dîner chez des gens, tu te couchais sous la table?

— Exactement. Et je m'y sentais bien. C'est un excellent endroit pour dormir.

— Sean! Je ne peux croire...

— Je te l'assure, Kathleen, on y dort très bien.

Le lendemain soir, je lavais mes cheveux à la cuisine. Sophie décida de s'en prendre à la façon dont Sean expliquait le comportement de son père pendant la guerre.

— Tu ne crois pas dénaturer un peu les faits quand tu décris son attitude?

— En quoi?

— S'il s'est échappé et est revenu en France, c'est que les Allemands voulaient l'envoyer en Russie et qu'il ne voulait pas y aller. Ce n'est que par la suite qu'il a donné une interprétation politique à cette évasion. Il n'était qu'un adolescent, à peine âgé de seize ans. Il ne comprenait pas grand-chose à ce qui se passait.

— C'est faux, ce que tu dis là, Sophie.

— C'est vrai. C'est lui-même qui me l'a dit.

— Il a fait un tas de choses importantes pendant la guerre. Je suis mieux placé que toi pour le savoir.

— Tu as raison. Mais ce n'est qu'un peu plus tard qu'il a joué un rôle actif.

— Il est fort probable que vous avez tous les deux raison, fis-je.

Je me penchai au-dessus de l'évier pour laisser le temps à l'après-shampooing de s'imprégner.

— Ou peut-être avons-nous tous les deux tort. Mais quelle importance? dit Sophie.

— J'aimerais bien savoir comment il a pu réintégrer l'armée allemande. Il n'a pas pu seulement revenir et lancer: «Salut, les copains! Me revoilà!» demandai-je.

— On n'en sait pas grand-chose, maman. Il a dû prendre une autre identité.

— Je vois.

Je me suis redressée, serviette autour de la tête.

— Tu t'y connais en électricité, Kathleen? Tu sais, quand il y a des *étincelles* partout, comme quand il y a un *court-circuit*?

Sean avait besoin de contrôler la conversation. Il n'aimait pas parler de la guerre. Il nous entraînait vers un autre sujet.

— Je m'y connais un peu.

— C'est entouré d'une aura étincelante que quelqu'un est sorti de l'obscurité pour me guider. Je veux parler de Gilbert. Il était celui à qui je confiais toutes mes *insécurités*, mes craintes, mes *lâchetés*...

Ça semblait terriblement important pour lui que je prenne conscience des qualités diverses de chacun de ses amis.

— *Insécurités,* c'est comme des craintes?

Je me suis assise auprès d'eux. Je continuais à frictionner mes cheveux.

— Oui, comme des craintes, mais pas des lâchetés.

Une abeille se cognait contre la vitre de la fenêtre.

Luke essayait de l'attraper à l'aide d'un verre et d'un bout de carton.

— Il faut y ajouter mes mélancolies. Gilbert a été le seul à comprendre que certaines de mes bravades cachaient de la lâcheté. Et que mes véritables gestes de courage n'étaient connus que de moi. Tu te souviens lors de la fête, quand tu avais de la difficulté à suivre la conversation parce que les gens parlaient trop vite et que tu t'es retirée à l'étage? Il tentait, avec toute la chaleur et la gentillesse de sa verve, de me convaincre que la volonté était la chose la plus importante du monde. Pas la volonté seule, mais la volonté couplée à *l'exigence*.

— C'est ridicule, lança Sophie. Il n'en pense rien.

— J'ai dit seulement si la volonté est couplée *à l'exigence*. Il était au bord des larmes.

— *Exigence*, c'est «exigency» en anglais?

— C'est ça.

— Il n'aurait pas été formé par les Jésuites? demanda Sophie.

— Je l'ignore. L'important, c'est ce qu'il me répétait tout le temps: que la médiocrité, c'est de la merde, que ce sera toujours de la merde. Et que, par contre, *la beauté*, l'essence de la beauté – pas la beauté vue comme le fait que tu es belle, etc. – mais l'idée même de la beauté, qui signifie intégrité, demeurera éternellement, prendra d'autres formes, et que tu auras failli à ses exigences si tu acceptes la médiocrité. La beauté exige un effort constant dans l'action et dans la qualité de l'être, et il en sera toujours ainsi.

Sophie semblait sceptique.

J'essayai d'entrer dans la conversation.

— Ce que Gilbert disait, en fait, c'était que la politique du moindre effort est confortable, mais la voie la plus difficile est beaucoup plus...

— Maman, ouvre la porte! Dépêche-toi. Vite! J'ai attrapé l'abeille.

Sean ouvrit la porte arrière. Luke souleva le carton et l'abeille vrombissante se mit à zigzaguer dans la pièce.

— Oui, tu as raison, Kathleen. Et quand Gilbert me parlait de mes manques, il me disait que j'avais tort d'emprunter la voie de la facilité, et il avait raison.

Il semblait épuisé. Il se laissa tomber dans un fauteuil et soupira.

Je marchai jusqu'à l'embarcadère en compagnie de Luke qui dribblait avec un ballon de soccer. Le traversier venait dans notre direction. La pluie avait cessé. Derrière la maison, des mares débordaient près des poteaux de la clôture. Le moteur d'un navire ronronnait sur la baie. Le soleil se montra, conférant une teinte ocre aux rochers. Les rosiers sauvages s'endormaient pour l'hiver. Un pétale oscillait dans une toile d'araignée.

J'avais fait une esquisse de Luke et de Sean le matin même, mélangeant des couleurs bleu pâle sur le canevas, puis les enduisant d'eau pure. Des crabes minuscules s'agitaient sur les fonds sablonneux de flaques d'eau sur la plage. Au loin, un goéland virait sur l'aile, réapparaissait contre la paroi d'un cap, puis se confondait avec la neige des sommets. Nous nous sommes assis sur la pente herbeuse d'une colline au-dessus de l'embarcadère. Le traversier était presque en fin de course, mais il avait temporairement disparu derrière la rive sud de l'anse. Les étrangers à l'île devenaient souvent inquiets à cet instant: ils croyaient avoir mal lu l'horaire des départs et arrivées. Une femme de la file d'attente nous demanda quand le traversier arriverait.

— Ne vous en faites pas, lui dis-je. Il est là. Vous ne pouvez pas encore le voir, mais dans quelques minutes, il sera à quai.

Luke murmura, arracha une touffe d'herbe qu'il lança

en bas de la falaise. Le traversier réapparut et commença les manœuvres d'arrimage. Un bruit soudain se fit entendre de notre côté de l'anse: un cerf bondit hors de la forêt et sauta dans la mer. Bois dressés, il nageait vers la rive opposée. La collision avec le traversier paraissait inévitable. C'est alors que nous avons aperçu Sean. Du rivage, il ordonnait à notre chien de revenir. Ce dernier poursuivait le cervidé à la nage et était sur le point de le rattraper – encore quelques secondes et il allait grimper sur le dos de l'animal.

—Ô seigneur! fit Luke, avec la même intonation qu'il avait utilisée le printemps dernier.

Nous campions au lac Saginaw et nous avions commis l'erreur de creuser un trou pour enterrer les cendres après avoir éteint notre feu. Le sol était sec et poreux. Je croyais que nous l'avions éteint consciencieusement, mais il s'était propagé sous le sol pendant notre sommeil et soudain notre canot s'était enflammé comme une torche. Nous avions jailli de la tente et descendu la pente jusqu'à l'esquif en flammes pour le jeter à l'eau. Heureusement, lorsque nous avions accosté, Luke avait retourné le canot: la brèche causée par le feu se situait en haut de la ligne de flottaison, car nous étions à des kilomètres de toute civilisation. Il n'y avait pas de routes terrestres.

Luke et moi avons couru en nous faufilant entre les rochers jusqu'à l'endroit où se tenait Sean. Le cerf nageait désespérément, coincé entre la proue du traversier et un berger allemand qui voulait lui grimper sur le dos.

— Reviens ici! hurla Luke.

Curieusement, le chien obéit. Il effectua un large demi-cercle et revint vers le rivage où il se secoua avec enjouement comme si rien ne s'était passé. Luke le frappa sur le museau, l'agrippa par le collier et le ramena au cottage. Pendant ce temps, le cerf continuait sa traversée. Les gens l'exhortaient à nager plus vite pour éviter l'accident fatal. Il y échappa de peu. L'avant du navire le frôla. Les vagues du sillage le ballottèrent un moment. Puis, avec calme, il grimpa sur la rive d'en face et disparut dans les buissons. Si le traversier n'avait pas dû dévier de sa course pour éviter un bateau de plaisance, il était cuit. Je m'attendais à voir arriver la police montée dans la soirée. Sur l'île Bowen, il est interdit de laisser les chiens courir après les cerfs.

— C'est un chien; voilà tout, expliquait Luke à Sean qui se tenait près du porche. C'est une question d'instinct. Il agit selon sa nature. De toute façon, ils ne veulent plus de cerfs sur l'île. Ils mangent tout dans les jardins et les potagers.

Il leva le doigt en direction des hortensias:

— Regarde. Les gens doivent protéger leurs plants à l'aide de filets. C'est laid.

Sean était encore blême, choqué par l'incident.

— Là n'est pas la question, dit-il.

— Maman, viens un peu ici. Sean semble penser qu'il est le seul à avoir été troublé par cette histoire. Regarde ce pauvre Max...

Max se terrait sous le cottage, un peu honteux...

— Le chien, reprit Sean, a agi comme d'habitude. En chien fou. À la maison, quand je descends l'escalier, il se lance dans mes jambes pour me faire trébucher.

— Il ne fait pas exprès, reprit Luke. C'est sa façon de descendre les escaliers.

— Tu parles! dit Sean.

Et il se réfugia à l'étage dans l'ancienne chambre de mon frère. Il avait envie d'être seul.

— Luke, fis-je. On peut se retrouver avec de sérieux problèmes. On exécute les chiens qui courent après les cerfs sur cette île.

— J'embarque sur le prochain traversier et je ramène Max.

— Je ne veux pas que tu demeures seul.

— Kim est au rez-de-chaussée.

— Sera-t-elle chez elle ce soir? On l'ignore.

— Sophie va venir avec moi.

Je soupirai.

— Peut-être devrions-nous tous retourner à la maison.

C'est à ce moment que Sophie et Tim prirent sur eux de calmer tout le monde. Le chien n'avait pas tué le cerf. L'animal était encore vivant. De plus, il avait fait une très agréable baignade. Et Luke avait probablement raison lorsqu'il avançait que les habitants de ce côté-ci de l'île seraient très heureux de son départ. Il n'y avait personne sur la rive d'en face. Si nous vivions sur l'île toute l'année, nous aurions peut-être un problème car nous devrions garder le chien attaché. Mais nous repartions demain. Quelle importance? Il y avait bien un règlement contre la chasse aux cerfs, mais rien n'interdisait de nager derrière eux... Pour l'instant nous n'avions qu'à nous calmer, à griller des guimauves et à passer une belle soirée comme prévu. Personne ne se soucierait de nous.

Tim et Sophie avaient raison.

Sean descendit. Avant de s'asseoir dans un fauteuil près du foyer pour y lire, il passa près de Luke et lui mit la main sur l'épaule. Tim et Sophie parlaient sur la véranda. Luke alla se coucher. Sean et moi demeurions seuls devant les flammes. Je me surpris à penser à cette nuit fatidique près du lac Saginaw. C'est un miracle que nous nous soyons éveillés à temps. Luke s'était endormi immédiatement après l'incident. Mais j'étais restée debout toute la nuit à jeter de l'eau du lac sur les cendres. Étrangement, je songeais à Loesic. J'observais la lune tout en me demandant ce que nous devrions laisser derrière – à condition que le canot puisse seulement flotter...

Sean s'empara du tisonnier creux et souffla sur le feu. Il souleva une poignée de cendres.

— À quoi penses-tu, Kathleen?

Je lui parlai de cette excursion au lac Saginaw qui ne devait durer que quatre jours. À cause du feu, nous avions dû revenir, faire réparer le canot, puis retourner chercher les affaires que nous avions été forcés de laisser là-bas. Un peu comme lorsqu'on tombe de cheval et qu'on doit remonter tout de suite pour ne pas conserver en soi une peur irraisonnée des chevaux. Mais, cette fois, nous avons pris soin d'apporter un nécessaire à réparer les fissures éventuelles dans la coque.

— Tu avais laissé le chien à la maison la deuxième fois aussi?

— Comment savais-tu ça?

Il sourit, plaça une bûche dans le foyer et ramassa des documents sur la table. Ils représentaient les efforts de ma grand-tante pour reconstituer l'histoire de notre famille aussi loin qu'à nos racines en Irlande. Il les feuilleta et s'attarda aux photographies représentant des ancêtres sur leur ferme en Ontario ou en Saskatchewan. Je remarquai qu'un signet retenait son attention. Soudain, je me rappelai que plusieurs années auparavant, j'avais examiné les mêmes documents et griffonné sur un signet: Sean Haggerty Richter. J'avais toujours regretté de ne pas avoir donné mon nom à ce premier fils. Je me demandais si Sean l'avait vu.

— Ces Haggerty, c'étaient surtout des fermiers.

— Tu as raison. La plupart des immigrés irlandais étaient des agriculteurs. Du côté maternel également. De ce côté, tu as du sang français. La mère de ma mère était une Cantelon.

— Je pourrais être français et canadien.

— Tu ne serais pas le premier.

Il saisit le tisonnier et retourna la bûche.

Le lendemain matin, il se rendit à l'extrémité d'une petite pointe rocheuse sur la plage et s'assit sur un rocher. Je lui portai du café. Ses espadrilles de la veille aux pieds, je pataugeais entre les moules et les escargots. Max me suivait.

— Tu es là, toi! dit-il au chien.

Il lui avait presque pardonné.

Ensemble nous avons observé ce qui ressemblait à un petit morceau de bois flottant à la surface. Soudain il a disparu. C'était une marmette. Elles ne sont pas les championnes du vol; elles s'écrasent contre les obstacles, geignent et pleurent presque comme des humains. Elles ne voient pas très bien où elles se dirigent.

— J'ai cherché un endroit comme ça pendant des années.

C'est un aspect plus mûr, plus sobre de sa personnalité qu'il me laissait voir ce jour-là.

— Je ne sais pas exactement quel mot employer pour le décrire, reprit-il, sauf celui de vierge qui me vient à l'esprit. En France, chaque parcelle du sol possède des milliers d'années d'histoire.

Je le regardai avec attention.

— Sean, tu aimerais l'explorer plus avant, ce coin de pays? Aller au-delà des montagnes que tu vois à l'horizon? Nous pourrions y aller le week-end prochain.

— J'adorerais.

— Alors allons-y. Ça peut facilement s'organiser.

8

Quelques jours plus tard, après un dîner au club de la Faculté, Sean et moi, nous nous sommes rendus entendre Sophie et sa copine Tami qui se produisaient en spectacle avec leur nouveau groupe, les Wanabees. Terry Mahler, mon ami du département de français, et son fils Jim nous accompagnaient. Ils jouaient dans une boîte derrière cette rue rutilante de néons verts, Grand-ville. Des projecteurs stroboscopiques éclataient par vagues sur leurs vêtements de treillis et sur leurs épaules ruisselantes de sueur, tandis qu'ils secouaient, de l'arrière vers l'avant, leurs longues chevelures blondes et striées de lumière. Entre les performances, Terry nous régalait d'anecdotes sur son dernier voyage en France. Il s'était rendu, entre autres, au cimetière du Père Lachaise pour visiter la tombe de Jim Morrison. Trois ou quatre femmes endeuillées se tenaient autour du petit mausolée dont les murs portaient des graffitis du genre: «Jim Morrison pour toujours» et «La musique de Jim Morrison ne mourra jamais». On en trouvait un autre au message *implacable:* «Aujourd'hui Jim Morrison pourrit comme tout le monde ici.» Sean rit aux éclats et déclara qu'il était évident que le docteur Mahler comprenait parfaitement bien la culture française...

Sean et Jim Mahler allèrent de leur côté et Terry

s'approcha du bar. Je remarquai alors Rosebud, une amie de Sophie. Elle zigzaguait entre les tables. La scène représentait un tableau bizarre de lumières qui produit des pulsations et de baguettes de batterie étincelantes. Soudain, Sophie apparut à mes côtés. Elle se laissa tomber sur une chaise et se désaltéra à même mon verre.

— Pour l'amour du ciel, maman, comment est-ce que je dois agir avec Sean? Il me suit partout comme un chien de poche! Il se prend pour mon petit ami, ma foi! Il est mon frère! Faut qu'il se rentre ça dans la tête et qu'il agisse en conséquence...

— Je me demande s'il ne s'agit pas d'un trait culturel...

Elle n'acceptait en rien cette explication.

— Maman, tu ne vas pas me dire: sois tolérante parce que c'est un Français! Il a l'obligation de se comporter en frère envers moi et en adulte responsable. Il n'agit pas correctement et il le sait.

— Tu es certaine de ça?

— Absolument. Il n'y a rien de romantique dans cette histoire. C'est foutu. Que j'essaie n'importe quoi, je me trompe tout le temps. J'y ai mis plus de moi-même que n'importe qui dans la famille. J'ai été vraiment accueillante... Mais j'ignore ce qu'il cherche réellement. Peut-être que c'est plus complexe que je ne le crois et qu'il essaie de m'utiliser... Je ne sais plus.

Elle était au bord des larmes.

— Ce n'est pas de ma faute toute cette histoire, maman. Je n'étais qu'une toute jeune enfant quand tout ça est arrivé.

— Oh! Sophie! Je sais tout ça... Sois-en assurée.

Je pris sa main dans la mienne.

— Je t'ai placée dans une situation impossible. Tout d'abord, je n'aurais pas dû te laisser aller en France. C'était un fardeau trop lourd. Je n'ai pas suffisamment réfléchi. Je le regrette et je t'en demande pardon.

— Pourquoi n'es-tu pas revenue à la maison?

— Qu'est-ce que tu veux dire?

— Quand Sean est né. Pourquoi n'es-tu pas revenue à la maison?

— Je suis revenue pour ta naissance. Je te l'ai déjà dit. Puis je suis repartie malgré les avis contraires de tous mes proches. Je voulais que tu aies un père, que nous formions une famille tous les trois. Je devais prouver à ma famille que nous pouvions y arriver. Aujourd'hui, je ne ferais pas la même chose.

— Tu veux dire qu'Andrew t'avait déjà abandonnée quand j'étais toute jeune?

— Disons qu'il n'était pas souvent à la maison.

— C'est ce que tu m'as toujours dit, qu'il travaillait ou quelque chose comme ça...

— On peut dire qu'il travaillait...

— Maman, tu es la maso parfaite.

Elle paraissait plus calme.

— Si j'avais été moins pleine d'illusions quand je me suis rendue en France, ça m'aurait certainement aidée, continua-t-elle. Ça marchait quand j'étais toute jeune. Mais j'ai cette culpabilité en moi maintenant. Je pense tout le temps que je me dois d'arranger les choses et j'en suis incapable.

Elle paraissait désemparée.

— Tu sais, Sophie, si j'avais été absolument certaine qu'Andrew était le père de Sean, je me serais accrochée à lui, j'aurais tout fait ce qu'une femme peut faire pour retenir un homme.

Elle me regarda, puis baissa les yeux vers son verre.

— Ça peut sembler étrange mais, ce qui me réconforte, c'est le sort des Richter. Ça leur a bien réussi, cet arrangement. Mais toi, maman. C'est ta façon d'agir qui me perturbe. J'aurais tellement voulu que Sean grandisse avec nous. On s'en serait tiré. Les gens t'auraient aidée. J'aurais eu un frère pour de vrai alors.

— Je comprends.

— Pourquoi n'as-tu pas demandé un test sanguin pour t'assurer de la paternité d'Andrew? La logique n'a jamais été ton fort. La logique, c'était un mot tabou dans les années soixante?

Terry revint avec deux verres, dont un pour moi.

— De toute façon, reprit-elle, dis-lui de me foutre la paix. Je dois penser à Tim d'abord.

Elle s'éloigna sur ses talons qui heurtaient le parquet et disparut dans la foule.

— Des problèmes? me demanda Terry.

— Vraiment rien que je n'aurais pas pu prévoir...

Il me passa un verre de scotch.

— Je voudrais bien rester, mais il se fait tard. Je dois rentrer.

— Bonne nuit, Terry. Et merci d'être venu.

Son fils Jim resta. Il avait rencontré, semblait-il, quelques amis. Sean revint. Il avait le visage pâle, défait.

— Où est Sophie? demanda-t-il.

Je tendis le pouce dans la direction qu'elle avait prise. Il jeta un coup d'œil, s'assit et se prit la tête entre les mains.

— Qu'est-ce que je vais faire à propos de Sophie?

— Rien. Ne fais rien.

— C'est impossible. Elle m'a dit que j'agissais de façon dégoûtante.

Il se couvrit le visage.

— Ce n'est pas réellement ce qu'elle voulait dire.

— C'est textuellement ce qu'elle a dit.

Il se leva et sortit. Je tentai de le suivre. Je ne le trouvai pas dans la rue. Je me rendis donc à l'endroit où j'avais garé l'auto. Il essayait d'ouvrir les portières, même s'il pouvait voir qu'elles étaient fermées à clé. Je passai mon bras autour de sa taille et il posa sa tête sur mon épaule.

— Elle... Comment peut-elle dire de telles choses?... Elle est ma sœur. Je voulais juste me rapprocher d'elle.

Il s'appuyait contre la carrosserie et cognait du poing sur le toit.

— Je ne suis plus capable de parler anglais. Ça me semble un jeu. Tout ça m'apparaît un jeu... J'ai besoin de Sophie. Au moins, elle, elle parle français.

— Sean, Sophie est très différente de toi. Et elle est aussi très différente de l'image que tu t'es faite d'elle au cours de ces années où tu as pensé à elle sans l'avoir même rencontrée.

Lorsque je prononçai ces paroles, j'entendis la voix monocorde de celui qui avait perturbé leur vie: «Ce n'est pas totalement de ma faute», disait-il.

— Tu te souviens, Sean, de ce dont on parlait l'autre jour? De la capacité de prendre du recul vis-à-vis d'une personne à qui on s'attache? Tu vis en plein ce type de situation où il te faut prendre un peu de distance et te dire: «Qui est cette fille?» Sophie a beaucoup de pudeur, tu sais.

Il s'appuyait encore sur le toit de l'auto, le visage enfoui dans les mains. Puis il leva la tête vers moi et laissa tomber:

— Elle n'a pas autant de pudeur que tu le dis, tu sais.

— Marchons un peu, lui proposai-je.

Nous marchâmes jusqu'au Palais de justice et nous traînâmes autour de la fontaine.

— Elle adore tous ces vêtements, tu sais... Ces vêtements de pute, ces bas à mailles très larges... Elle ne m'apparaît pas avoir autant de pudeur que tu le dis. Qu'est-ce que je dois faire demain? Je vais devoir lui téléphoner et m'expliquer avec elle. Où est-ce qu'elle dort ce soir? Chez Tim ou ailleurs?

— Pourquoi ne lui laisses-tu pas un peu de temps? Je la connais bien. Elle va revenir à de meilleurs sentiments.

Il s'essaya à nouveau.

— Qu'est-ce qui va se passer quand nous allons nous rendre à Seattle?

— Tout va très bien se passer. Prends juste un peu de recul et ne pousse pas les choses. Essaie ça.

— J'en suis capable.

— Je le sais.

J'hésitai un peu – je ne voulais pas ressembler à cette mère qui n'a pas joué son rôle et qui assène des aphorismes de sagesse à ses enfants par compensation – puis je me décidai, je n'avais rien à perdre.

— Tu sais, au Canada, les frères et les sœurs ne sont pas aussi... *tête à tête* (sic). Ils ne se touchent pas.

— Tu es sérieuse? lança-t-il, étonné. Je comprends sans peine pourquoi tous ces gens sont si amoureux de la France!

Le lendemain matin, nous étions assis sur un banc près de l'embarcadère du traversier de Langdale. Des terres, au loin dans l'air brumeux du fjord, apparaissaient et disparaissaient. Tout le monde, à l'exception de Luke, se sentait lessivé par la nuit blanche et la gueule de bois. Sophie avait sorti son miroir et se couvrait la figure de crème solaire. Sean et Luke se tenaient à ma droite; elle, à ma gauche. Elle se tourna vers moi.

— Maman, je pensais à notre voyage à Seattle, quand nous allons conduire Sean à l'aéroport; est-ce qu'il possède un visa pour les États-Unis?

— Évidemment.

Et je les regardai tour à tour.

— Qu'est-ce qu'on va dire à la douane?

— Pourquoi s'inquiéter de ça? demanda Sean. Administrativement nous ne sommes pas parents.

— Je te conseille de porter des verres teintés alors, maman. C'est tout ce que je peux dire...

Elle ramassa son sac à main et nous laissa pour se rendre à la cafétéria. («Certainement que je vous accompagne! m'avait-elle dit lorsque je lui avais téléphoné ce matin. Vous ne vous débarrasserez pas de moi si facilement!»)

— Tu viens jouer quelques parties de vidéo, demanda Luke à Sean en tendant la main vers moi pour obtenir des pièces de vingt-cinq sous.

— Je te remercie, mais je vais demeurer un peu avec ta mère.

— D'accord, fit Luke.

Nous avons remonté la côte en auto jusqu'à une aire boisée sur la péninsule de Sechelt. J'avais acheté cette petite forêt il y a quelques années en association avec un groupe d'amis. J'avais alors un mince espoir qu'un jour mes enfants, enfin rassemblés, s'y construiraient une maison. Une fois que le traversier a contourné Hood Point, la ville disparaît et se profilent les îles sombres et massives. Le vent et l'air salin emplissent vos poumons; l'espace prend une tout autre dimension, celle de la grande nature et du silence. Malheureusement, quelques minutes après le débarquement à Langdale, on est à nouveau en présence du centre commercial en béton et en matériaux plastiques et du ruban asphalté de l'autoroute. J'ai toujours eu le sentiment que j'avais parcouru un long chemin, juste pour échapper à tout ça. Une autoroute relie en effet les extrémités de la péninsule; des chemins poussiéreux s'y rattachent un peu partout, comme les ramifications d'un fleuve. Il faut en entreprendre un et y parcourir plusieurs kilomètres avant de rencontrer des fermes ombragées par la verdure et des camps isolés, fabriqués de billots et percés de larges baies vitrées.

Nous prenions la route vers cette cabane rustique que tous les propriétaires partageaient. Sean s'était installé à l'arrière avec Luke. Il avait posé son menton sur le dossier de la banquette avant, entre Sophie et moi. Nous zigzaguions vers le sommet de la colline, laissant derrière nous la descente qui conduisait au traversier. Il se pencha pour ouvrir la radio.

— Quel est cet affreux endroit poussiéreux? demanda-t-il.

— C'est le centre commercial, dis-je.

— Pourquoi? Qu'est-ce qui cloche? fit Luke.

Sean tenta de capter un poste. Puis il lança:

— Tu sais, Kathleen, j'ai été étonné que tu ne rentres pas avec le docteur Mahler hier soir. Il est tellement gentil et vous vous aimez bien...

— Il est marié, Sean.

— En quoi ça fait une différence?

— Au Canada, ça fait une grosse différence, rétorqua Sophie qui lui jeta un regard soutenu.

Les yeux de Sean croisèrent les miens dans le rétroviseur. Quelques kilomètres plus loin, nous nous engageâmes dans une fourche à gauche. Le véhicule se faufila sous le dôme des sapins et des baies saumon jusqu'à une clairière. Au centre, notre refuge. Nous entrâmes les sacs de couchage, les glacières, les sacs à dos... Les souricières avaient attrapé quelques mulots et souris. Coucher à même le plancher, sur un matelas de mousse pressée, convenait à Sean. Sophie et moi allions utiliser les lits superposés. Luke souhaitait que je recule la fourgonnette jusqu'au ponton. Il adorait y dormir, porte arrière ouverte, en écoutant la radio. L'endroit où je souhaitais construire était situé plus profondément dans la forêt. Nous aurions à ouvrir une route et je jugeais que le bois que nous devrions couper paierait pour l'excavatrice et son opérateur.

Au matin, Sophie s'éveilla en grande forme. Après le petit déjeuner, Sophie, Sean et moi avions passé des bottes de caoutchouc et nous avions entrepris le sentier boueux qui passait entre les choux puants. Notre camp était près d'une descente de billots, sur le flanc d'une colline. La pente conduisait à l'océan par une autre sente qui contournait un tas de bois. Quant à Luke, il était demeuré derrière. Il voulait s'exercer à conduire l'automobile dans la cour de notre chalet. Il affirmait que la loi ne défendait en rien de conduire sans permis à condition de le faire sur un terrain privé.

Sean et Sophie ne voulaient pas trop s'enfoncer dans la forêt. Ils insistaient pour que s'élève notre résidence secondaire là où ils étaient. Ils se dirigèrent vers un sapin nain, à peine plus haut que leurs genoux. Je poursuivis ma marche, grimpai sur un cran, glissai sur la mousse, rampai, m'agrippai pour parvenir enfin au rebord d'une moraine et découvrir le bout de ruban rose qui désignait l'emplacement.

— Hé! les jeunes! Vous vous êtes trompés. C'est par ici.

Ils protestèrent. Je ne pouvais avoir raison. L'endroit où ils se tenaient était parfait. Mais, finalement, avec des soupirs et des rechignements feints, ils se hissèrent à travers les arbres en dérapant pour s'apercevoir en fin de compte que maman avait raison.

— Je crois que tu aurais pu trouver un terrain un peu plus à l'écart, commenta tout de même Sean.

Le lendemain, nous parlâmes de nous rendre au lac du Rubis. La chaleur était torride. Qui souhaitait parcourir des kilomètres par une telle journée? Sean. Pourquoi ne pas nous rendre à la plage Sandy, tout simplement? Nous avons donc décidé de plaire à tous: nous laisserions Luke et Sophie, et leur attirail de paniers et de thermos, à la plage Sandy, puis Sean et moi, après avoir remonté la colline, continuerions par l'autoroute jusqu'au lac du Rubis.

— Et puis, comment m'en suis-je tiré? me demanda-t-il aussitôt que nous fûmes seuls.

— Très bien.

Nous sommes passés devant le moulin à scie, puis nous avons changé d'orientation pour nous retrouver de l'autre côté de la péninsule de Sechelt. Sur les pentes qui bordaient la voie, des arbousiers rouges couraient sur la pierraille jusqu'aux escarpements rocheux. Certains flancs de colline portaient les cicatrices des débusqueuses mécaniques. Sean se tordait le cou pour apercevoir le sommet des à-pics qui enserraient la route. Nous franchissions les montagnes lorsque nous avons traversé une aire ravagée par un incendie. Les troncs carbonisés se dressaient sur les rebords de la falaise. Sean se rapprocha de moi et regarda par-dessus son épaule alors que nous entrions dans une zone à la végétation intacte.

— Je voulais te demander, Sean: ton service militaire, ça s'arrange comment?

— Je ne le ferai pas. Je vais tenter d'obtenir le statut d'objecteur de conscience.

— C'est difficile?

— Ça se pourrait. Je devrai faire un an de service communautaire. L'alternative, c'est de les convaincre que je suis fou.

— Ils doivent être habitués aux simulateurs...

— Il semblerait qu'en buvant beaucoup de vin et beaucoup de café, on y arrive.

— Tu ne veux donc pas être soldat?

— En aucune façon.

— Tu ne crois pas que la France ait besoin de forces armées?

— D'une certaine façon. Mais je ne veux pas en être...
— Je vois...

Nous nous engageâmes sur un tronçon de route droit et passâmes à proximité d'une colline isolée que j'avais escaladée ce week-end au cours duquel je devais décider si j'allais me rendre ou non en France. J'avais entendu dire qu'il s'agissait d'un lieu sacré pour les autochtones. Je me souvenais des efforts ardus de l'escalade qui m'avait conduite au sommet. Au pied de l'autre versant, on trouve un lac. Je m'étais assise mais n'avais rien ressenti de particulier, aucune inspiration. Je n'étais qu'un promeneur qui se reposait et admirait une pièce d'eau. Déçue, je revins sur mes pas. Je longeais un roc gigantesque lorsque j'aperçus, comme une tranchée entre deux grands arbres, une veine, un conduit vers une autre dimension de la falaise. Je soulevai une branche, me glissai dessous et enjambai une racine qui ressemblait à une clavicule encastrée. Des parties importantes de la paroi de pierre s'étaient écroulées; la terre de la pente pouvait donc débouler librement vers la vallée. Le silence dominait tout et j'avais une vue imprenable sur les montagnes alentour. Le tertre où je m'étais assise, de l'autre côté de l'escarpement, paraissait minuscule – comme si on l'avait détaché d'un coup de lame et qu'il fût tombé près du lac. Je trébuchai et je me retrouvai en train de glisser, m'agrippant aux racines et aux lichens. Plus je faisais d'efforts, plus la pente était difficile. Je réussis à rétablir ma position mais la panique m'envahissait. C'est alors que je vis ce que j'avais été incapable de voir auparavant. Au-delà de la cime, invisibles du lac, une série de pierres oblongues, équidistantes, formaient un cercle au sommet de la colline. Je ramassai une pierre qui gisait sur le sol à l'extérieur du cercle; je songeais à l'ajouter à l'anneau. Mais, soudain, je pris conscience que je n'avais pas le droit de faire un tel geste, que cette permission se gagnait par l'initiation, par des nuits et des nuits sans sommeil ni nourriture passées en ce même lieu. Le seul autel sur cette montagne ne m'appartenait pas. Je redéposai la pierre et partis.

— Glisso Gellata, c'est à elle que je suis en train de penser, fit soudain Sean qui m'arracha à mes souvenirs.

— Qui est-ce?

— La druidesse du Feu dont maman me parlait. J'essayais de me rappeler qui elle était exactement quand nous étions sur l'île Bowen.

Au café, en bordure du lac, je garai l'auto dans une aire de stationnement délimitée par un billot étendu.

Nous avons commandé des hamburgers et des frites au comptoir d'un kiosque et avons transporté le tout dans un panier en carton jusqu'à une table sur le quai. Un saule étique laissait traîner ses branches dans l'eau satinée. Un couple de cygnes sillonnait la surface. Ils semblaient immatériels, éthérés – touches de meringue déposées sur l'onde.

— Dis-moi, Sean, Loesic est-elle encore dépressive maintenant qu'elle est rentrée à Paris?

— Oui. Et tu sais pourquoi? À Paris, papa prend toute la place. Il travaille à se faire mourir et maman est, plus ou moins, reléguée à l'arrière-plan. À Pruniers, c'est la situation inverse. Mais ils y passent moins de temps.

— Je croyais qu'il devait ralentir ses activités.

— Il devait. Mais il ne le fait pas. Nous essayons bien de l'en convaincre, mais nous n'y arrivons pas. Ça crée de la tension entre nous, et la tension, lui, ça le motive à travailler encore plus. C'était un compromis. Ça a marché un bout de temps, mais ils avaient besoin d'un véritable changement. Nous avons eu une idée, mais cette idée n'a pas connu un grand succès.

Il replia son assiette de papier et l'écrasa. Puis nous avons lancé des morceaux de nos hamburgers aux cygnes.

Nous avons laissé le café et sommes partis en balade autour du lac. La poussière de la route nous obligea à remonter les vitres des portières. L'écorre plongeait abruptement vers les eaux tièdes. D'où nous étions, les endroits où l'eau était la plus profonde étaient les plus sombres, les plus invitants.

— En vérité, quand on y réfléchit bien, papa va mieux physiquement, mais psychologiquement *il était meurtri* (sic).

Sean fouilla dans son dictionnaire aux pages usées.

— «Bruised», laissa-t-il tomber.

— Je gagerais qu'il n'a pas l'habitude d'être oisif.

— Non. Et, tu sais, je ne t'ai pas tout dit sur Gilbert. Tu te souviens de Fred? Il a passé une année entière complètement déboussolé, *perdu dans l'homosexualité, le sexe, la baise à outrance...*

— Ça veut dire quoi?

— Je ne veux pas traduire.

— Pourquoi pas?

— Je ne le veux pas, c'est tout. L'important – et que je ne t'ai pas dit – c'est que Gilbert a attrapé *les germes maladifs* (sic) et qu'il va mourir de cette horrible maladie de quatre lettres. Comment vous dites? «A four-letter word?»

— Tu veux dire le SIDA? Gilbert a le SIDA?

Il se mordit les lèvres et murmura:

— Oui.

— Quand l'as-tu appris?

— Juste avant mon départ.

— Sean! C'est horrible! Je ne m'en doutais même pas. C'est la raison pour laquelle tu te rends à New York?

— Tu as visé juste.

— Ils sont là, tous les deux?

— Oui.

— Loesic et Jean-Paul doivent être vraiment dans tous leurs états.

— Tu peux le dire.

Je garai l'auto et nous descendîmes sur la berge.

— As-tu encore envie d'aller nager? Peut-être devrions-nous tout simplement oublier la natation pour aujourd'hui?

— Non. Allons-y.

Il demeura assis un moment, la mine résolue. Puis il plongea la main dans son sac en cuir et en sortit des dossiers et cartes usés à force d'avoir été pliés et dépliés.

— Le plus terrible, c'est que Gilbert était celui qui

était fidèle dans cette relation et, tu vois, c'est lui qui va mourir.

Il jeta un coup d'œil à la carte qu'il venait de déplier. Il m'apparaissait vouloir chasser ces idées sombres de son esprit.

Il pointa l'île de Vancouver et demanda:

— On va prendre un autre traversier ou on va rouler jusque-là?

— C'est impossible. Ce serait beaucoup trop long. Presque une journée complète d'automobile...

— Tu plaisantes?

— L'île de Vancouver a une superficie qui équivaut au tiers de la Grande-Bretagne...

— Tu me fais marcher.

— Personne ne t'en a parlé? Sais-tu quelle longueur elle a?

— Non.

Nous sommes descendus et avons dévalé une pente de gravier et de pierres. La mousse qui recouvrait ces dernières était si ancienne qu'elles avaient dû rouler à cet endroit avant qu'on y ouvre la route. Nous avons sauté d'une à l'autre jusqu'à ce que nous atteignions le rivage du lac. Les rayons du soleil nous arrivaient à hauteur d'horizon, balayant la surface. Sean se rendit derrière une formation rocheuse où croissait un massif d'arbousiers. Il observa le paysage vallonné où, disait-il, personne n'avait jamais vécu. Il revint et s'assit. Le silence et l'immobilité du paysage pesaient.

— Un de ces jours, faut que j'amène mes parents ici.

— Ne serait-ce pas merveilleux?

— Oui. Merveilleux.

Il se retourna et demeura étendu, la joue contre la pierre chauffée. Le soleil plombait, disque oscillant à travers l'air chargé de vapeur d'eau.

— Tu sais, Kathleen, cet été, après ton départ, les nuits étaient exceptionnellement étoilées; mais Gilbert ne cessait de parler de la mort. Même chose pour Marie-Claire. Tu te souviens d'elle? Son mari venait de décéder. Cette année a vraiment été celle des morts. Ils avaient vécu ensemble pendant quarante ans. Ils fabriquaient des marionnettes. Tu te souviens de celles qu'ils avaient suspendues au-dessus de mon berceau? La police montée et cet Amérindien qui avait un *pied noir*? C'est eux qui les avaient faits. En plus, il y a eu le frère de maman qui s'est noyé. C'était un pêcheur breton. Il a tenté de sauver un ami qui ne savait pas nager. J'ai perdu mon oncle favori et Jean-Paul, un beau-frère qu'il affectionnait. Gilbert a l'habitude de dire que la mort n'est qu'une fin apparente, qu'en fait elle débouche sur une autre réalité. Comme on ouvre une fenêtre...

— Dis-moi, Sean. Tu sais ce qui est arrivé à Niki?

— Non. Je ne l'ai rencontrée qu'une seule fois. Elle était très faible, vulnérable. La recherche de son père lui prenait toutes ses énergies. Elle doit t'apparaître un personnage très ambigu...

— En effet! L'a-t-elle trouvé, ce père?

— Que si. Mais il n'était ni gentil ni intéressant. Et, surtout, il ne comprenait pas pourquoi elle avait gaspillé une partie si importante de sa vie à le chercher.

— Pauvre Niki. Tu sais où elle l'a trouvé?

— Non. Nous avons perdu contact avec Niki. Elle n'est jamais revenue à Pruniers. Je crois que c'est parce que Jean-Paul voulait faire l'amour avec elle. Elle ne comprenait pas ça. Maman a essayé de lui en parler.

— Ta mère a essayé de lui parler?

— *Oui*.

Je secouai la tête, incrédule.

— Je fais un très beau séjour, tu sais. Je n'ai eu qu'une seule déception.

— Laquelle?

— Que Haida soit mariée.

Je souris.

— Ainsi le courant passe entre vous?

— Penses-tu que le fait d'être mariée l'empêcherait?

— Tu plaisantes?

Il se retourna, sourire aux lèvres. Les nuages se dispersaient. Lorsque le soleil apparut derrière l'un d'eux, son contour s'enflamma. Un avion traversait le ciel en diagonale. Je me tournai sur le côté et observai Sean.

— C'est peut-être à Singapour qu'elle l'a enfin retrouvé, fis-je, en faisant référence à son scénario.

— Peut-être.

— Dis-moi, quel est, de tes trois personnages, celui qui t'apparaît le plus intéressant?

— Parmi lesquels?

— Celui qui regarde une peinture dans un musée? La femme qui se tient debout et retient par les cheveux une tête? Ou celui qui a perdu son corps?

— Tous et chacun.

Je commençais à somnoler.

— Tu sais sans doute que Niki a consommé beaucoup de drogues, même à Bouchauds, avança-t-il.

— Non. Je ne le savais pas.

— C'est une autre raison pour laquelle elle a disparu.

— Gilbert et Fred en ont encore pour longtemps à New York, Sean? Je n'aime pas l'idée de te savoir dans cette ville. N'y demeure pas trop longtemps, d'accord?

— D'accord.

J'avais soif et regrettais de n'avoir rien apporté à boire.

— Des cubes de glace dans une jarre de verre – ne serait-ce pas merveilleux?

— Certainement. Mais nous n'avons rien.

Nous restâmes silencieux quelques minutes. Puis soudain il dit:

— J'ai apporté quelques oranges.

— Vraiment? Formidable!

Il étendit le bras et caressa mes cheveux.

— Alors, tu vas les chercher, ces oranges? fit-il.

— Où sont-elles?

— Dans mon sac, là-bas.

— Pourquoi ne vas-tu pas les chercher toi-même?

— C'est à ton tour.

— Bon, ça va.

Je me rendis jusqu'à l'arbousier où il avait suspendu son sac à dos, l'ouvris et lui lançai les oranges une à une. Dans le sac, j'aperçus un livre usé à force d'avoir été lu et relu, *A Delicate Wilderness*. J'avais oublié son contenu. On y trouvait aussi des cartes et plusieurs brochures en français dont le papier était presque en lambeaux – un peu comme cette fameuse invitation que je transportais toujours avec moi depuis que je l'avais reçue – le carton était presque coupé au pli. Je pris place à ses côtés et pelai mon orange.

— C'est le temps de la baignade?

— Pourquoi pas?

Je me plongeai dans les eaux sombres du lac et y allai d'un crawl vigoureux. Au milieu, je me retournai et nageai sur le dos. Sean continuait à paresser sur la plage. Puis il se leva et se lança à l'eau. Des brasses robustes. Il s'y donnait à fond de train. Je pouvais apercevoir son visage qu'il tournait alternativement de gauche à droite au-dessus de la surface. Nous avons nagé de concert jusqu'à ce que les faîtes des conifères se confondent au ciel à notre point de départ. Sur la rive la plus éloignée du lac, je me suis hissée hors de l'eau et j'ai commencé à courir sur place pour me sécher. Il jaillit de l'onde derrière moi et se fit une entaille sur une pierre. Il pressait la blessure pour empêcher le sang de couler. Il tentait de se courber pour atteindre son pied et sucer l'entaille. Il ne pouvait y arriver. Je me suis assise près de lui, j'ai posé ma joue sur mon genou et me suis tournée lentement vers lui.

— Il y a quelque chose que je dois te demander. Depuis ton arrivée, ça ne me quitte pas l'esprit. Tes parents et toi, est-ce que vous planifiez de venir vivre ici un de ces jours? C'est un projet que vous avez?

— Oui, répondit-il.

Il ne paraissait pas du tout surpris de ma question.

— Nous en discutons depuis un bon bout de temps. C'est un projet que nous chérissons... Les gens nous taquinent avec ça. Ils nous apportent des présents qui rappellent le Canada... Par exemple, maman possédait une brochure dont la page couverture montrait un cerf. En guise de plaisanterie, un jour, Gilbert et Fred lui ont offert une tête de cerf empaillée, celle qu'on retrouve dans l'entrée à Pruniers...

— C'est arrivé quand?

— Après la fête.

Nous sommes revenus sans nous presser vers la ville. Sur le traversier, nous avons pris place sur le même banc qu'à l'aller, mais cette fois nous faisions face à l'autre rive. Sean effleura ma joue de ses jointures.

— Je suis heureux d'être venu, tu sais, Kathleen. Ça a été un moment important pour toi et moi. Je suis content que tu aies renoué contact et m'aies invité.

— C'est ce que j'espère, Sean. C'est réellement mon espoir le plus cher.

Le lendemain matin, avant notre départ pour Seattle, j'allai cogner à la porte de sa chambre. Il insérait une dernière feuille de papier sur le cylindre de la machine à écrire.

— Tu es prêt pour le grand départ?

— Presque.

— Cette chambre est la tienne, tu sais. Tu peux revenir n'importe quand. Et quand vous vous déciderez tous à venir, Loesic et Jean-Paul pourront coucher dans la mienne.